Technologia i rozwiązania

Programowanie obiektowe

w PHP 5

Opanuj zasady programowania obiektowego w PHP i twórz programy łatwe w zarządzaniu

- Naucz się definiować właściwości obiektów
- Stwórz kod, który będzie łatwy w zarządzaniu
- Zbuduj wydajną i bezpieczną aplikację

Hasin Hayder

Tytuł oryginału: Object-Oriented Programming with PHP5

Tłumaczenie: Robert Górczyński

ISBN: 978-83-246-1821-7

Wydawnictwo HELION
ul. Kościuszki 1c, 44-100 GLIWICE
tel. 032 231 22 19, 032 230 98 63
e-mail: *helion@helion.pl*
WWW: *http://helion.pl* (księgarnia internetowa, katalog książek)

Drogi Czytelniku!
Jeżeli chcesz ocenić tę książkę, zajrzyj pod adres
http://helion.pl/user/opinie?probph
Możesz tam wpisać swoje uwagi, spostrzeżenia, recenzję.

Pliki z przykładami omawianymi w książce można znaleźć pod adresem:
ftp://ftp.helion.pl/przyklady/probph.zip

Printed in Poland.

Tę książkę dedukuję
mojemu synowi
Afifowi — Małemu Einsteinowi

Spis treści

O autorze

Hasin Hayder pochodzi z Bangladeszu i jest certyfikowanym inżynierem Zend oraz entuzjastą oprogramowania typu open source. Oprócz pracy w firmie Trippert Labs (*http://www.trippert.↪com*) na stanowisku dyrektora technicznego, Hasin zajmuje się tworzeniem programów oraz prowadzeniem blogu pod adresem *http://hasin.wordpress.com*. Hasin na stałe mieszka w Bangladeszu wraz z żoną Ayeshą, synem Afifem oraz dużą liczbą gadżetów.

O recenzentach

Kalpesh Barot od czterech lat zajmuje się programowaniem w języku PHP. Ma swój wkład w pracy nad małymi oraz dużymi serwisami społecznymi opracowanymi w PHP. Kalpesh zaangażował się w różne projekty, począwszy od opracowywania i tworzenia witryn internetowych aż po tworzenie modułów wykorzystywanych w dużych serwisach społecznych.

W roku 2004 Kalpesh zdobył tytuł magistra w zakresie inżynierii oprogramowania na uniwersytecie w Greenwich (Wielka Brytania). Zdobyta wiedza teoretyczna pozwala mu na osiąganie coraz większej efektywności w pracy programisty komputerowego.

Podczas studiów zaczął aktywnie działać w sektorze IT. Od tego czasu programuje w języku PHP, zyskując duże doświadczenie na tym polu.

Mimo stale zwiększającej się liczby obowiązków nauczył się właściwego nadawania priorytetów zadaniom i tę wiedzę skutecznie stosuje podczas prac nad kolejnymi projektami.

Chciałbym gorąco podziękować mojej żonie Bansari za jej nieustające wsparcie.

Murshed Ahmmad Khan jest młodym programistą internetowym, który wierzy, że w programowaniu nie ma rzeczy niemożliwych. Murshed od pięciu lat intensywnie zajmuje się programowaniem sieciowym i systemowym, a jego marzeniem jest utworzenie świetnego, przydatnego i użytecznego systemu, który mógłby być używany przez wiele osób w Internecie.

Murshed ukończył studia z zakresu inżynierii i technologii na uniwersytecie Rajshahi w Bangladeszu.

Murshed Ahmmad Khan pracował dla firm BangladeshInfo.com (*http://www.bangladeshinfo.com*) oraz Global Online Services Limited (*http://www.global.com.bd*), zyskując tam doskonałą reputację. Zarówno BangladeshInfo.com jak i Global Online Services Limited należą do koncernu Texas Group Bangladesh oraz znanej firmy z branży IT działającej na rynku lokalnym, która świadczy usługi korporacjom oraz firmom wielonarodowym.

Murshed pracował także dla THPB (The Hunger Project, Bangladesh — *http://www.thp.org*) oraz SHUJAN (SHUJAN jest ruchem społecznym, którego celem jest osiągnięcie lepszego poziomu rządów). W wymienionych organizacjach był głównym programistą i zajmował się programowaniem witryn rządowych, których celem było zwiększenie poziomu odpowiedzialności kandydatów startujących w wyborach. Pracując w SHUJAN (*http://www.shujan.org*), zaprogramował pierwszą witrynę internetową kraju.

Wprowadzenie

Programowanie zorientowane obiektowo (OOP) to przede wszystkim możliwość ukrycia tego, co nie jest ważne dla użytkownika przy jednoczesnym naświetleniu istotnych elementów. Język PHP w wersji 5 standardowo określa różne zakresy właściwości zazwyczaj oferowanych przez języki programowania w pełni obsługujące programowanie zorientowane obiektowo.

Co zawiera ta książka?

W rozdziale 1. zostanie przedstawione programowanie zorientowane obiektowo oraz jego implementacja w PHP. Będą także uwypuklone niektóre zalety wynikające ze stosowania programowania zorientowanego obiektowo zamiast proceduralnego.

W rozdziale 2. czytelnik pozna sposoby tworzenia obiektów oraz definiowania ich właściwości i metod. Ponadto, zaprezentowane będą szczegółowe informacje dotyczące klas, właściwości i metod, jak również kwestie zasięgu metod. Rozdział ten pokaże zalety używania interfejsów oraz kilku innych podstawowych funkcji OOP w PHP, a także dostarczy energii potrzebnej do rozpoczęcia przygody z OOP w PHP.

Po zdobyciu podstawowych informacji dotyczących OOP w PHP rozdział 3. pomoże czytelnikowi w utrwaleniu wiedzy. Przedstawione będą więc kolejne szczegółowe informacje oraz niektóre z zaawansowanych funkcji OOP. Przykładowo, zaprezentowane zostaną funkcje klasy, które umożliwiają poznanie szczegółów dotyczących danej klasy. W rozdziale znajdą się również przydatne informacje dotyczące funkcji programowania zorientowanego obiektowo, obsługi wyjątków, iteratorów oraz przechowywania obiektów za pomocą serializacji.

W rozdziale 4. przyjdzie kolej na poznanie niektórych wzorców projektowych oraz sposób ich implementacji w PHP. To jest zasadnicza część OOP, dzięki której tworzony kod jest bardziej efektywny, wydajniejszy oraz znacznie łatwiejszy w obsłudze. Czasami programiści implementują w kodzie te wzorce projektowe, nie wiedząc nawet, że stosowane rozwiązania zostały zdefiniowane przez wzorce projektowe. Właściwe użycie odpowiedniego wzorca może przyczynić się do zwiększenia wydajności kodu. Analogicznie, nieprawidłowe zastosowanie wzorca może spowodować, że kod będzie wolniejszy oraz mniej wydajny.

Rozdział 5. koncentruje się na dwóch bardzo ważnych funkcjach programowania zorientowanego obiektowo w PHP, czyli refleksji i teście jednostkowym. W PHP 5 wiele starych API zostało zastąpionych nowszymi wersjami. Jednym z nich jest Reflection API, za pomocą którego można rozłożyć na części dowolną klasę bądź obiekt w celu poznania jego właściwości i metod. Programista może te metody wywoływać w sposób dynamiczny. Z kolei testowanie jednostkowe jest zasadniczą częścią tworzenia dobrego, stabilnego i łatwego w zarządzaniu projektu programu. W rozdziale skoncentrujemy się na bardzo popularnym pakiecie PHPUnit będącym częścią portu JUnit dla PHP. Po zastosowaniu wskazówek z rozdziału 5. czytelnik będzie w stanie samodzielnie zaprojektować własne testy jednostkowe.

Niektóre wbudowane w PHP obiekty i interfejsy znacznie ułatwiają pracę programistom PHP. W rozdziale 6. zostanie więc przedstawione ogromne repozytorium obiektów o nazwie Standard PHP Library, czyli w skrócie SPL.

W rozdziale 7. będzie przedstawione usprawnione API o nazwie MySQLi służące do obsługi bazy danych MySQL. Ponadto, zostanie zaprezentowane krótkie wprowadzenie do PHP Data Objects (PDO), adoDB oraz PEAR::MDB2. W rozdziale znajdzie się omówienie wzorca Active Record w PHP na przykładzie biblioteki Active Record w adoDB, a także wzorca Object-Relational Mapping (ORM) na przykładzie Propel. Skoncentrujemy się na określonych zagadnieniach, które są interesujące dla programistów PHP używających bazy danych w sposób zorientowany obiektowo.

W rozdziale 8. zostaną omówione tematy związane z przetwarzaniem kodu XML w PHP. Czytelnik pozna więc różne API, takie jak SimpleXML API pozwalające na odczyt dokumentów XML oraz obiekt `DOMDocument` służący do analizy i tworzenia dokumentów XML.

Po lekturze rozdziału 4. czytelnik powinien wiedzieć, w jaki sposób wzorce projektowe mogą ułatwić codzienne zadania programisty poprzez dostarczanie wielu technik stanowiących rozwiązania dla wielu powszechnych problemów. Jednym z najczęściej używanych wzorców projektowych w strukturze programu jest zastosowanie architektury Model-View-Controller (MVC). W rozdziale 9. będzie więc przedstawiona podstawowa struktura składająca się na architekturę MVC, a także krótkie wprowadzenie do niektórych popularnych architektur MVC. Wymienione architektury MVC odgrywają bardzo istotną rolę podczas tworzenia programów w języku PHP. Rozdział 9. przedstawi czytelnikowi sposoby tworzenia struktur, które również będą pomocne w zrozumieniu zagadnień związanych z wczytywaniem obiektów, warstwami abstrakcji danych oraz wagą samej separacji stosowanej w architekturze MVC. Ponadto, dzięki rozdziałowi można bliżej przyjrzeć się strukturze programu.

Dla kogo jest przeznaczona książka?

Zarówno dla początkujących jak i średnio zaawansowanych programistów PHP 5.

Konwencje zastosowane w książce

W książce zastosowano kilka stylów tekstu, które pozwalają na oddzielenie różnego rodzaju informacji. Poniżej przedstawiono kilka przykładów użytych stylów oraz ich objaśnienia.

Istnieją trzy style oznaczenia kodu. Kod zawarty w tekście jest oznaczany w następujący sposób: „W niektórych przypadkach programista będzie musiał określić, które klasy znajdują się w bieżącym zasięgu. Można to bardzo łatwo zrobić za pomocą funkcji `get_declared_classes()`."

Blok kodu jest oznaczony następująco:

```
<?
class ParentClass
{
}
class ChildClass extends ParentClass
{
}
$cc = new ChildClass();
if  (is_a($cc,"ChildClass")) echo "To jest obiekt klasy ChildClass.";
echo "\n";
if  (is_a($cc,"ParentClass")) echo "To jest również obiekt klasy ParentClass.";
?>
```

Nowe pojęcia oraz **ważne słowa** zostały pogrubione. Słowa lub zwroty wyświetlane na ekranie, na przykład w menu bądź oknach dialogowych, są w tekście oznaczone w następujący sposób: „Jeżeli serwer zostanie umieszczony w dokumencie serwera WWW (tutaj `localhost`) w katalogu o nazwie *proxy*, to po uzyskaniu dostępu do niego z poziomu klienta zostaną wyświetlone następujące dane wyjściowe:

```
March, 28 2007 16:!3:20".
```

> Ważne informacje, wskazówki i podpowiedzi pojawiać się będą w takich ramkach.

Użycie przykładowych kodów

Na serwerze FTP wydawnictwa Helion, pod adresem *ftp://ftp.helion.pl/przyklady/probph.zip* znajduje się archiwum zawierające przykładowe kody przedstawione w książce. Zanim pliki będzie można wykorzystać, należy je wcześniej wypakować z pobranego archiwum.

Styl OOP kontra programowanie proceduralne

W ostatnich kilku latach PHP stał się jednym z najpopularniejszych języków skryptowych. Około 60% serwerów WWW działa pod kontrolą Apache w połączeniu z PHP. Ten język stał się tak popularny, że każdego miesiąca powstają miliony stron i aplikacji sieciowych napisanych w PHP. Warto przypomnieć, że początki PHP to prosty zamiennik dla języka Perl. Aż trudno uwierzyć, że w przeciągu kilku lat ten język stał się tak popularny i zyskał ogromne możliwości. Język sam w sobie jest bardzo podobny do ANSI C.

Jednym z powodów tak niebywałej popularności PHP jest stosunkowy prosty proces jego nauczenia się. Poznanie PHP nie jest dużym wyzwaniem, zwłaszcza dla osób znających składnię języków Java bądź C. Ponieważ tworzenie skryptów PHP jest takie łatwe, to praktycznie każdy może napisać kod PHP bez przedstawionych w dalszej części książki konwencji oraz łącząc warstwę prezentacji z logiką biznesową (to jest jednak jeden z głównych powodów, dla którego wokół nas znajduje się ogromna ilość projektów trudnych do obsługi). Ponieważ w PHP nie ma ścisłych konwencji dotyczących programowania, to powoli w ciągu kilku lat rozbudowy danego projektu staje się on trudnym w obsłudze demonem.

Programowanie zorientowane obiektowo, czyli **OOP**, jest dobrą praktyką programowania prowadzącą do tworzenia projektów stosunkowo łatwych w obsłudze i zarządzaniu. Programowanie proceduralne składa się z kodu zawierającego lub niezawierającego procedury. Zastosowanie stylu OOP w języku programowania powoduje zwiększenie wydajności podczas tworzenia dużych projektów bez większych obaw dotyczących kwestii jego obsługi i zarządzania nim. Styl OOP pozwala programiście na tworzenie obiektów, które można wielokrotnie wykorzystywać, a innym programistom na stosowanie tych obiektów we własnych projektach bez konieczności ich ponownego odkrywania. Programowanie zorientowane obiektowo usuwa więc trudności i udręki związane z tworzeniem i zarządzaniem wielkimi projektami.

W książce skoncentrujemy się na zagadnieniach, które pozwolą programiście na osiągnięcie maksimum korzyści z używania stylu OOP w PHP. W tym celu zostaną przedstawione rozwiązania krok po kroku oraz przykłady wzięte z życia, pokazujące, w jaki sposób styl OOP może pomóc w tworzeniu efektywniejszego kodu, usprawnieniu stylu programowania oraz ponownego używania tego samego kodu. Książka nie jest podręcznikiem języka PHP, skupia się po prostu na funkcjach OOP w PHP, a nie ogólnych podstawach PHP. Jeżeli czytelnik szuka dobrego podręcznika PHP, to w pierwszej kolejności warto zapoznać się z oficjalnym podręcznikiem PHP. Ponadto można sięgnąć po bardzo dobrą książkę napisaną przez Leona Atkinsona zatytułowaną *PHP. Programowanie*.

Wprowadzenie do PHP

Ta część nie jest skierowana do programistów PHP, ale raczej do osób rozpoczynających przygodę z językiem PHP poprzez tę książkę. Jak wspomniano na początku, autor zakłada, że czytelnik posiada już pewne doświadczenie w programowaniu za pomocą języka PHP. Jednak dla osób zupełnie początkujących, które chcą poznać styl OOP poprzez tę książkę, wprowadzenie okaże się pomocne, gdyż zawiera opis podstawowych funkcji PHP. Bardziej doświadczeni czytelnicy także nie powinni pomijać tej części, ponieważ zostaną w niej przedstawione także inne zagadnienia.

Czytelnik mógłby w tym miejscu zapytać, gdzie jest obiecane wprowadzenie do PHP? Przecież nie widać tutaj żadnego kodu. Szczerze mówiąc, kod nie jest tu potrzebny. Najlepszym zasobem i źródłem wiedzy okazuje się Internet, który pozostaje bezpłatny. Dlatego też początkujący czytelnik powinien przejść na witrynę *http://www.php.net*, pobrać stamtąd podręcznik PHP i przeczytać kilka pierwszych rozdziałów. Obszerne wprowadzenie do języka PHP można również znaleźć w książce *PHP5. Wprowadzenie* napisanej przez Davida Sklara.

Zaczynamy

Podczas prac nad książką autor używał PHP w wersji 5.1.2, ale w większości przypadków zaprezentowane przykłady będą działały w dowolnej wersji PHP 5. W systemie powinna być również zainstalowana baza danych MySQL 5 oraz serwer WWW Apache 2. Czytelnik, który nie potrafi skonfigurować wymienionych elementów w swoim systemie, może pobrać prekonfigurowaną dystrybucję WAMP lub LAMP, taką jak XAMPP (*http://apachefriends.org*) lub Apache2Triad (*http://apache2triad.net*). Na witrynie internetowej wymienionych produktów znajdują się szczegółowe informacje dotyczące ich instalacji i dostosowania do własnych potrzeb.

Krótka historia stylu programowania OOP w PHP

Kiedy język PHP został zaprojektowany, to nie posiadał zaimplementowanych funkcji OOP. Po PHP/FI, gdy Zeev, Rasmus i Andy na nowo przepisali podstawowy kod i wydali PHP 3, w języku pojawiły się podstawowe funkcje programowania zorientowanego obiektowo. Po wydaniu PHP w wersji 4 dostępne funkcje stylu OOP były już dojrzałe i zapewniały znacznie większą wydajność niż wcześniej. Podczas prac nad PHP 5 zespół programistów ponownie przepisał na nowo silnik PHP i wprowadził całkowicie nowy model obiektów. W chwili obecnej rozwijane są dwie wersje PHP. Nie należy się mylić, porównując wersje PHP z innymi językami. PHP 5 nie jest najnowszą wersją PHP! Jak wcześniej wspomniano, PHP 4 i PHP 5 były aktywnie rozwijane w tym samym czasie (choć ostatnia wersja PHP 4 została wydana w grudniu 2007 i kolejnych wydań tej wersji już nie będzie). Porównując PHP 4 i 5 trzeba wspomnieć, że wersja 5 posiada zaimplementowane pełne funkcje OOP, podczas gdy w PHP 4 tego modułu brakuje. W trakcie prac nad książką najnowsze wersje PHP to PHP 5.2 i PHP 4.4.

Proceduralny styl kodowania kontra OOP

Język PHP pozwala na pisanie kodu na dwa różne sposoby. Pierwszy z nich to styl proceduralny, natomiast drugi to zorientowany obiektowo. Programista może oczywiście napisać kod proceduralny w PHP 5, który następnie będzie wykonywany bez żadnych problemów. Jeżeli czytelnik nie jest pewny, czy prawidłowo rozróżnia wymienione style programowania, to warto spojrzeć na przedstawione poniżej dwa fragmenty kodu napisane w odmiennych stylach. Zaprezentowane poniżej fragmenty kodu nie są w pełni samodzielnymi przykładami:

```
<?
$user_input = $_POST['field'];
$filtered_content = filter($user_input); // Filtrowanie danych wejściowych
                                         // użytkownika.
mysql_connect("dbhost","dbuser","dbpassword"); // Baza danych.
mysql_select_db("dbname");
$sql = "some query";
$result = mysql_query($sql);
while ($data = mysql_fetch_assoc())
{
   process ($data);
}
process_user_input($filtered_content);
?>
```

Na powyższym kodzie można zauważyć dużą liczbę kodu przetwarzającego użytego albo bezpośrednio albo za pomocą funkcji. Jest to więc przykład proceduralnego stylu programowania. Poniżej przedstawiono ten sam fragment kodu, ale skonwertowany na postać wykorzystującą styl OOP:

```
<?
$input_filter = new filter();
$input_filter->filter_user_input(); // Filtrowanie danych wejściowych użytkownika.
$db = new dal("mysql"); // Warstwa dostępu do danych.
$db->connect($dbconfig); // Używana baza danych to MySQL.
$result = $db->execute($sql);
ReportGenerator::makereport($result); // Przetwarzanie danych.
$model = new Postmodel($filter->get_filtered_content());
$model->insert();
?>
```

Po przyjrzeniu się przedstawionym fragmentom kodu czytelnik prawdopodobnie dojdzie do wniosku, że ten drugi jest bardziej czytelny. Szczerze mówiąc, ten pierwszy również może być jeszcze bardziej czytelny po uprzednim zastosowaniu w nim dodatkowych funkcji. Powstaje jednak pytanie, ile funkcji programista jest gotów wyszukać, aby ich użyć? Drugi z przedstawionych fragmentów kodu jest znacznie lepiej zorganizowany, ponieważ wiadomo, który obiekt jest obsługiwany przez dany proces. W przypadku tworzenia dużego programu za pomocą stylu proceduralnego, po kilku wersjach programu efektywne zarządzanie jego kodem jest niemal niemożliwe. Oczywiście, można zaimplementować ściśle określone konwencje programowania, ale miliony programistów przekonały się, że takie rozwiązanie nie zapewnia doskonałych możliwości w zakresie zarządzania i obsługi tego kodu, jakie można uzyskać po zastosowaniu stylu OOP. Niemal wszystkie duże programy zostały napisane z użyciem podejścia programowania zorientowanego obiektowo.

Zalety używania stylu OOP

Programowanie zorientowane obiektowo zostało opracowane w celu ułatwienia pracy programisty. Dzięki użyciu stylu OOP można podzielić problemy na mniejsze, które stają się stosunkowo łatwe do rozwiązania. Główny cel stylu OOP sprowadza się do tego, aby wszystko to, co można zrealizować, zrobić za pomocą obiektów. Wymienione obiekty to małe, oddzielne fragmenty kodu, które łączą w sobie dane oraz wykonywane na nich operacje. W programie wszystkie obiekty są ze sobą łączone, współdzielą więc dane i wspólnie rozwiązują problemy.

Programowanie zorientowane obiektowo jest lepsze pod wieloma różnymi aspektami, zwłaszcza po uwzględnieniu czasu potrzebnego na przygotowanie programu oraz kwestie związane z jego obsługą. Główne zalety płynące ze stosowania OOP są następujące:

- **Ponowne użycie kodu**. Obiekt jest strukturą składającą się z właściwości i metod i może współdziałać z innymi obiektami. Dany obiekt może być samowystarczalny bądź może posiadać zależności w postaci innych obiektów. Z reguły obiekt jest tworzony w celu rozwiązania określonego zestawu problemów. Dlatego też, gdy grupa programistów ma do rozwiązania taki sam zestaw problemów, to może zaimplementować do własnego projektu klasę zaprojektowaną przez zupełnie innego programistę, nie naruszając przy tym aktualnej struktury programu. Takie podejście chroni przez zjawiskiem określanym mianem DRY, czyli *Don't Repeat Yourself* (nie powtarzaj się). W proceduralnym lub funkcyjnym stylu programowania ponowne używanie kodu jest możliwe, ale nieco bardziej skomplikowane.
- **Refaktoryzacja**. Kiedy zachodzi konieczność refaktoryzacji projektu, wtedy styl OOP pokazuje pełnię swoich możliwości, ponieważ wszystkie obiekty są małymi jednostkami i zawierają własne właściwości oraz metody jako część obiektu. Z tego powodu refaktoryzacja staje się znacznie łatwiejsza.
- **Rozbudowa**. Jeżeli do danego projektu trzeba dodać nowe funkcje, to najlepsze wyniki osiąga się, stosując styl OOP. Jedną z podstawowych cech stylu OOP to duże możliwości w zakresie rozbudowy. Programista może więc przeprowadzić refaktoryzację obiektu i zaimplementować w nim nowe funkcje. W trakcie tego procesu nadal można zachować wsteczną zgodność z danym obiektem, co zapewni jego prawidłowe działanie ze starszym kodem. Inne możliwości to rozbudowa obiektu i utworzenie zupełnie nowego, który będzie zawierał zarówno wszystkie wymagane właściwości i metody obiektu nadrzędnego (po którym następuje dziedziczenie), jak również nowe funkcje. Takie rozwiązanie nosi nazwę „dziedziczenia" i jest bardzo ważną funkcją OOP.
- **Obsługa**. Kod napisany w stylu programowania zorientowanego obiektowo jest znacznie łatwiejszy w obsłudze, ponieważ stosuje ściśle określone konwencje programowania oraz jest napisany w bardzo czytelnym formacie. Przykładowo, kiedy programista przeprowadza jego rozbudowę, refaktoryzację lub usuwanie błędów, może bardzo łatwo określić wewnętrzną strukturę kodu oraz przeprowadzać jego obsługę. Co więcej, gdy nad projektem pracuje zespół programistów, to styl OOP staje się najlepszym rozwiązaniem, ponieważ kod można podzielić na mniejsze części. Następnie te mniejsze części mogą zostać rozwijane jako oddzielne obiekty, tak więc programiści pracują niemal oddzielnie. Wreszcie na koniec cały kod można bardzo łatwo połączyć w jedną całość.
- **Efektywność**. W rzeczywistości koncepcja programowania zorientowanego obiektowo została opracowana w celu osiągnięcia znacznie lepszej wydajności działania kodu i znacznego ułatwienia procesu jego tworzenia. Do umożliwienia tworzenia dobrego i efektywnego kodu opracowano kilka wzorców projektowych. Ponadto, aby znaleźć rozwiązanie problemu w OOP, można zastosować znacznie lepsze podejście niż w przypadku stylu proceduralnego. Ponieważ w pierwszej kolejności problem zostaje podzielony na kilka mniejszych, a następnie programista rozwiązuje te mniejsze problemy, to cały duży problem staje się rozwiązany niemal automatycznie.

Wnikliwa analiza obiektu

Czym jest więc wielokrotnie już wspomniany obiekt? Ogólnie rzecz biorąc, to tylko fragment kodu zawierający zestaw właściwości i metod. Czy pod tym względem obiekt jest podobny do tablicy, ponieważ tablica może przechowywać dane identyfikowane przez właściwości (nazywane kluczami)? Obiekt to jednak znacznie więcej niż tablica, gdyż zawiera w sobie jeszcze metody. Wymienione metody mogą być ukryte bądź dostępne, co nie jest możliwe w przypadku tablic. Obiekt możemy więc porównać do czegoś w rodzaju struktury danych. Ponadto, obiekt może zawierać w sobie większą liczbę obiektów i albo ściśle się z nimi łączyć, albo wręcz przeciwnie. W dalszej części książki zostanie przedstawionych więcej informacji na temat łączenia obiektów oraz wyjaśnienie, dlaczego ta możliwość jest użyteczna dla programistów.

Przyjrzyjmy się kodowi obiektu w PHP. Przedstawiony poniżej fragment kodu jest bardzo prostym obiektem, który może wysyłać wiadomości e-mail grupie użytkowników. W języku PHP 5 obiekty są znacznie inne niż w PHP 4. W tym miejscu nie będziemy zagłębiali się w szczegóły obiektów, ale po prostu przekonamy się, w jaki sposób obiekty są tworzone w języku PHP.

```
<?
// class.emailer.php
class Emailer
{
   private $sender;
   private $recipients;
   private $subject;
   private $body;
   function __construct($sender)
   {
      $this->sender = $sender;
      $this->recipients = array();
   }

   public function addRecipients($recipient)
   {
      array_push($this->recipients, $recipient);
   }
   public function setSubject($subject)
   {
      $this->subject = $subject;
   }
   public function setBody($body)
   {
      $this->body = $body;
   }
   public function sendEmail()
   {
      foreach ($this->recipients as $recipient)
      {
```

```
                $result = mail($recipient, $this->subject, $this->body,
                   "From: {$this->sender}\r\n");
                if ($result) echo "Wiadomość została wysła do
                   {$recipient}<br/>";
            }
        }
    }
    ?>
```

Powyższy obiekt zawiera cztery właściwości prywatne (`private`) oraz trzy metody asesorów i jedną dodatkową metodę służącą do wysłania wiadomości e-mail. W jaki sposób powyższy obiekt można użyć we własnym kodzie PHP? Przyjrzyjmy się poniższemu fragmentowi kodu:

```
<?
$emailer = new emailer("hasin@pageflakes.com"); // Konstruktor.
$emailer->addRecipients("hasin@somewherein.net"); // Metody dostępu.
// Przekazanie pewnych danych.
$emailer->setSubject("To tylko test");
$emailer->setBody("Cześć Hasin,Jak się miewasz?");
$emailer->sendEmail();
?>
```

Można się zgodzić, że powyższy fragment kodu jest niemalże samoobjaśniający się i wystarczająco czytelny. Jeżeli programista stosuje prawidłowe konwencje, to tworzony przez niego kod będzie łatwy w zarządzaniu i obsłudze. Programiści serwisu Wordpress mają na własnej witrynie (*http://www.wordpress.org*) motto: „Programowanie jest poezją". Programowanie w rzeczywistości jest poezją, pod warunkiem że programista wie, w jaki sposób ją pisać.

Różnice między stylem OOP w PHP 4 i PHP 5

Obiekty w PHP 5 znacznie różnią się od obiektów występujących w PHP 4. Pod tym względem podejście do programowania zorientowanego obiektowo w PHP 5 jest bardziej dojrzałe. Wprawdzie pewne funkcje OOP były dostępne już w PHP 3, ale to raczej była iluzja niż rzeczywiste funkcje programowania zorientowanego obiektowo. W PHP 4 programista może tworzyć obiekty, ale nie może wykorzystać w pełni płynących z nich możliwości, ponieważ PHP 4 oferuje tylko ubogi model obiektowy.

Jedną z głównych różnic dotyczącą OOP w PHP 4 jest fakt, że wszystko pozostaje otwarte, to znaczy brakuje ograniczeń związanych z używaniem metod lub właściwości. Programista nie może więc używać modyfikatorów `public`, `private` i `protected` w stosunku do metod. W PHP 4 metody prywatne były więc zwykle definiowane za pomocą podwójnego znaku podkreślenia w nazwie metody. Takie rozwiązanie jednak nie powodowało zdefiniowania metody w formacie, który faktycznie uniemożliwiałby uzyskanie do niej dostępu z zewnątrz klasy. To były jedynie względy dyscyplinarne.

W PHP 4 dostępne były interfejsy, ale brakowało słów kluczowych `abstract` i `final`. Wymieniony interfejs jest fragmentem kodu, który może być zaimplementowany przez dowolny obiekt. Oznacza to, że obiekt musi posiadać wszystkie metody zadeklarowane w interfejsie. Implementacja wszystkich funkcji jest więc ścisłym wymaganiem. W interfejsie można zadeklarować jedynie nazwę i rodzaj dostępu do dowolnej metody. Klasa abstrakcyjna (`abstract`) to taka, w której niektóre metody mogą zawierać również pewne dane. Następnie, dowolny obiekt może rozszerzać tę klasę abstrakcyjną oraz wszystkie zdefiniowane w niej metody. Z kolei klasa `final` oznacza obiekt, którego nie można dalej rozbudować. W PHP 5 można używać wszystkich wymienionych rodzajów klas.

Język PHP w wersji 4 nie pozwalał na wielokrotne dziedziczenie interfejsów. Oznacza to, że interfejs może rozszerzać tylko jeden interfejs. Natomiast w PHP 5 dziedziczenie wielu interfejsów jest obsługiwane poprzez implementację wielu interfejsów jednocześnie.

W PHP 4 niemal wszystko pozostawało statyczne. Oznacza to, że po zadeklarowaniu dowolnej metody w klasie można ją wywołać bezpośrednio bez potrzeby tworzenia jej egzemplarza. Przykładowo, poniższy fragment kodu działa prawidłowo w PHP 4:

```
<?
class Abc
{
   var $ab;
   function abc()
   {
      $this->ab = 7;
   }
   function echosomething()
   {
      echo $this->ab;
   }
}
echo abc::echosomething();
?>
```

Powyższy kod nie będzie jednak działał w PHP 5, ponieważ metoda `echosomething()` używa słowa kluczowego `$this`, które nie jest dostępne w wywołaniu statycznym.

W PHP 4 nie ma stałej bazującej na klasie, w obiekcie nie ma ani właściwości `static`, ani destruktora.

Za każdym razem, gdy obiekt jest kopiowany, w wyniku otrzymujemy tylko słabą kopię tego obiektu. W PHP 5 także istnieje możliwości uzyskania tego rodzaju kopii poprzez zastosowanie jedynie słowa kluczowego `clone`.

W PHP 4 nie ma obiektu `exception`, natomiast w PHP 5 zarządzanie wyjątkami zostało dodane.

Język PHP w wersji 4 zawiera pewne funkcje służące do określania metod i właściwości klasy, ale w PHP 5 oprócz tych funkcji dostępne jest API o potężnych możliwościach (Reflection API), które zostało opracowane w tym właśnie celu.

Przeciążanie metod za pomocą metod magicznych, takich jak `__get()` i `__set()`, także jest możliwe w PHP 5. Ponadto istnieje duża liczba wbudowanych obiektów, których zadaniem jest znaczne ułatwienie pracy programiście.

Jednak najważniejszą zaletą stylu OOP w PHP 5 jest zwiększenie jego wydajności w stosunku do wcześniejszych wersji.

Niektóre podstawowe pojęcia z zakresu OOP

Poniżej przedstawiono niektóre podstawowe pojęcia związane z programowaniem zorientowanym obiektowo:

Klasa. Klasa jest szablonem obiektu. Dlatego też klasa zawiera kod definiujący sposób zachowania obiektu oraz jego współdziałanie z innymi obiektami. Za każdym razem, gdy programista tworzy obiekt w PHP, to w rzeczywistości tworzy klasę. Z tego powodu w książce niekiedy obiekt będzie nazywany klasą (`class`), ponieważ oba pojęcia są synonimami.

Właściwość. Właściwość znajduje się w klasie i może przechowywać pewne informacje. W przeciwieństwie do innych języków programowania, PHP nie sprawdza rodzaju zmiennej właściwości. Sama właściwość może być dostępna tylko w danej klasie, także w jej podklasach bądź wszędzie. Generalnie właściwość jest zmienną zadeklarowaną wewnątrz klasy, ale nie wewnątrz jakiejkolwiek funkcji w danej klasie.

Metoda. Metoda to po prostu funkcja zdefiniowana w klasie. Podobnie jak właściwości, także metody mogą być dostępne dla trzech wymienionych wcześniej rodzajów użytkowników.

Hermetyzacja. Hermetyzacja jest mechanizmem łączącym kod z danymi, na których ten kod operuje, i oddzielającym tą strukturę od pozostałych elementów. Opakowanie danych i metod w pojedynczą jednostkę (nazywaną klasą) nosi nazwę hermetyzacji. Zaletą hermetyzacji jest to, że wykonuje ona swoje zadanie wewnątrz jednostki bez niepotrzebnego angażowania uwagi programisty.

Polimorfizm. Obiekty mogą być różnego rodzaju. Pojedynczy obiekt może posiadać odmienne właściwości i metody, które będą samodzielnie współdziałały z innymi obiektami. Jednak zbiór obiektów może również wywodzić się z obiektu nadrzędnego i tym samym zachować niektóre właściwości klasy nadrzędnej. Ten proces nosi nazwę polimorfizmu. Obiekt może więc być źródłem kilku innych obiektów, które będą zachowywały część jego właściwości.

Dziedziczenie. Kluczowym procesem tworzenia nowego obiektu poprzez rozbudowę innego jest dziedziczenie. Kiedy obiekt dziedziczy po innym obiekcie, wtedy podklasy (dziedziczące) otrzymują wszystkie właściwości i metody superklasy (klasy nadrzędnej, czyli tej, po której dziedziczą). Następnie podklasa może przetwarzać w dowolny sposób metody pochodzące z superklasy (ten proces nosi nazwę przeciążania).

Łączenie. Ten termin określa zależności, jakie zachodzą między klasami zależnymi. Architektura słabego połączenia zapewnia znacznie większą możliwość ponownego użycia obiektu niż w przypadku ich silniejszego połączenia. Szczegółowy opis łączenia będzie przedstawiony w następnym rozdziale. Kwestie łączenia są bardzo ważne podczas projektowania dobrych obiektów.

Wzorzec projektowy. Opracowany po raz pierwszy przez „Bandę czterech", wzorzec projektowy jest po prostu zbiorem sztuczek w programowaniu zorientowanym obiektowo, które służą do rozwiązania zestawu podobnych problemów przy zastosowaniu sprytniejszego podejścia. Korzystanie z wzorców projektowych (DP) może zwiększyć wydajność całego programu przy zachowaniu minimalnej ilości kodu pisanego przez programistów. Czasami optymalizacja projektu nie jest możliwa bez użycia wzorców projektowych. Z drugiej strony niepotrzebne i nieplanowane używanie wzorców projektów może doprowadzić do zmniejszenia wydajności programu. Wzorcom projektowym został poświęcony cały rozdział w niniejszej książce.

Podklasa. Wymieniona podklasa to bardzo często stosowany termin w OOP i będzie przewijał się w całej książce. Kiedy obiekt pochodzi z innego obiektu, to ten wywodzący się jest nazywany podklasą obiektu, z którego pochodzi.

Superklasa. Klasa jest superklasą dla obiektu, jeśli wywodzi się on z danej klasy. Upraszczając, kiedy programista rozbudowuje obiekt, to obiekt rozbudowywany jest superklasą dla nowo tworzonego obiektu.

Egzemplarz. Podczas tworzenia obiektu poprzez wywołanie jego konstruktora zostaje utworzony egzemplarz. Upraszczając, po wykonaniu kodu, takiego jak `$var = new Object();`, w rzeczywistości tworzony jest nowy egzemplarz obiektu klasy.

Ogólne konwencje programowania

W kodach zaprezentowanych w niniejszej książce będą stosowane pewne konwencje. Wprawdzie nie są one zbyt ścisłe, ale mają pomóc czytelnikowi w obsłudze rozbudowywanego kodu. Ponadto, stosowanie konwencji znacznie ułatwia zarządzanie kodem oraz pomaga w tworzeniu efektywniejszego kodu dzięki unikaniu powielania i tworzenia zbędnych obiektów. Dodatkowo, stosowanie konwencji powoduje, że tworzony kod staje się łatwiejszy do odczytu.

- W pojedynczym pliku *.php* będzie znajdowała się tylko jedna klasa. Poza taką klasą nie będzie tworzony żaden kod proceduralny.

- Każda klasa będzie zapisywana w pliku z zachowaniem prawidłowej konwencji nazw. Przykładowo, plik zawierający przedstawioną we wcześniejszej części rozdziału klasę `Emailer` będzie zapisany pod nazwą *class.emailer.php*. Jakie są zalety stosowania takiej konwencji nazw? Przede wszystkim programista bez konieczności zaglądania do pliku będzie wiedział, że zawiera on klasę o nazwie `Emailer`.
- W nazwach plików nigdy nie będą używane znaki o różnych wielkościach, ponieważ tworzy to nieestetyczną strukturę programu. Dlatego też w nazwach zawsze będą używane małe znaki.
- Podobnie jak w przypadku klas, interfejsy będą zapisywane w postaci *interface.nazwa.php*, klasy abstrakcyjne jako *abstract.nazwa.php*, a klasy `final` jako *final.nazwa.php*.
- W nazwach klas zawsze będzie stosowany styl Camel. Oznacza to, że pierwsza litera głównej części nazwy zawsze będzie duża, natomiast pozostałe będą małe. Przykładowo, klasa o nazwie `arrayobject` będzie czytelniejsza po zastosowaniu zapisu `ArrayObject`.
- Podczas zapisywania nazw właściwości lub zmiennych klas będzie stosowana taka sama konwencja.
- Podczas zapisywania nazw metod będziemy rozpoczynać od małej litery, a następnie stosować styl Camel. Przykładowo, metoda wysyłająca wiadomość e-mail może nazywać się `sendEmail`.
- Poza powyższymi w książce nie zastosowano innych konwencji.

Podsumowanie

W rozdziale zaprezentowano ogólne informacje dotyczące programowania zorientowanego obiektowo oraz sposób jego implementacji w języku PHP. Czytelnik poznał także niektóre zalety płynące ze stosowania programowania OOP zamiast proceduralnego lub funkcyjnego. Jednak w rozdziale nie zostały omówione szczegóły dotyczące programowania zorientowanego obiektowo w PHP. W następnym rozdziale zostaną przedstawione bardziej wyczerpujące informacje o obiektach, ich metodach i atrybutach. W szczególności zajmiemy się zagadnieniami związanymi z tworzeniem obiektów, rozbudową ich funkcji oraz współdziałaniem między obiektami. Tak więc nasza podróż związana z programowaniem zorientowanym obiektowo w języku PHP dopiero się rozpoczyna.

Rozpoczęcie pracy z OOP

W tym rozdziale czytelnik dowie się, w jaki sposób tworzyć obiekty, definiować ich atrybuty (czyli właściwości) oraz metody. W języku PHP obiekty zawsze są tworzone za pomocą słowa kluczowego `class`. Po lekturze rozdziału czytelnik znacznie rozszerzy wiedzę z zakresu klas, właściwości i metod. Ponadto w rozdziale tym zostaną podjęte tematy związane z zasięgiem metod, modyfikatorami metod oraz zostaną przedstawione zalety płynące z używania interfejsów. Niniejszy rozdział jest także wprowadzeniem do innych podstawowych funkcji programowania zorientowanego obiektowo w PHP. Biorąc to wszystko pod uwagę, można zaryzykować stwierdzenie, że ten rozdział jest jednym z lepszych zasobów pozwalających na rozpoczęcie pracy z OOP w języku PHP.

Tworzenie obiektów

Jak wcześniej wspomniano, obiekt w języku PHP jest tworzony za pomocą słowa kluczowego `class`. Wymieniona klasa składa się z właściwości i metod (publicznych bądź prywatnych). Przyjrzyjmy się klasie `Emailer`, która została już przedstawiona w rozdziale 1. Teraz przeanalizujemy sposób działania klasy `Emailer`:

```
<?
// class.emailer.php
class Emailer
{
   private $sender;
   private $recipients;
   private $subject;
   private $body;
   function __construct($sender)
   {
      $this->sender = $sender;
```

```
        $this->recipients = array();
    }
    public function addRecipients($recipient)
    {
        array_push($this->recipients, $recipient);
    }
    public function setSubject($subject)
    {
        $this->subject = $subject;
    }
    public function setBody($body)
    {
        $this->body = $body;
    }
    public function sendEmail()
    {
        foreach ($this->recipients as $recipient)
        {
            $result = mail($recipient, $this->subject, $this->body,
                "From: {$this->sender}\r\n");
            if ($result) echo "Wiadomość została wysła do
                {$recipient}<br/>";
        }
    }
}
?>
```

Powyższy kod rozpoczyna się poleceniem `class Emailer`, które oznacza, że nazwa tworzonej klasy to `Emailer`. Podczas nadawania nazw klasom należy stosować tę samą konwencję nazw, która jest używana w stosunku do zmiennych, na przykład nazwy nie rozpoczynamy od cyfry, itd.

Następnie wiersze kodu odpowiadają za deklarację właściwości klasy. Możemy więc wyodrębnić cztery — `$sender`, `$recipient`, `$subject` oraz `$body`. Warto zwrócić uwagę, że każda z wymienionych właściwości została zadeklarowana z użyciem słowa kluczowego `private` (prywatna). Właściwość prywatna to taka, która jest dostępna jedynie w danej klasie. Trzeba jeszcze dodać, że właściwości to po prostu zmienne wewnątrz klasy.

Jak czytelnik zapewne pamięta, metoda jest po prostu funkcją zdefiniowaną wewnątrz klasy. W klasie przedstawionej na powyższym kodzie znajduje się pięć funkcji — `__construct()`, `addRecipient()`, `setSubject()`, `setBody()` oraz `sendEmail()`. Warto zwrócić uwagę, że ostatnie cztery metody zostały zadeklarowane z użyciem słowa kluczowego `public` (publiczne). Oznacza to, że każdy, kto utworzy egzemplarz tego obiektu, posiada również dostęp do jego metod publicznych.

Metoda `__construct()` jest metodą specjalnego znaczenia w klasie i jest nazywana *konstruktorem*. W trakcie tworzenia nowego obiektu na podstawie klasy metoda konstruktora jest automatycznie wywoływana. Dlatego też, jeśli podczas tworzenia obiektu trzeba na nim wykonać określone zadania, to najlepszym rozwiązaniem jest zdefiniowanie ich w konstruktorze. Przykładowo, metoda konstruktora klasy `Emailer` powoduje zdefiniowanie pustej tablicy `$recipients` oraz danych nadawcy.

Dostęp do właściwości i metod z wewnątrz klasy

Czytelnik zapewne zastanawia się, w jaki sposób funkcje mogą uzyskać dostęp do właściwości klasy z poziomu danej klasy? Do tego celu służy następująca konstrukcja kodu:

```
public function setBody($body)
{
   $this->body = $body;
}
```

W klasie znajduje się właściwość prywatna o nazwie `$body`. Jeżeli zachodzi potrzeba uzyskania dostępu do niej z wewnątrz funkcji, wtedy należy użyć słowa kluczowego `$this`. Wymienione słowo kluczowe `$this` oznacza odniesienie do bieżącego egzemplarza obiektu. Dlatego też, aby uzyskać dostęp do właściwości `body`, trzeba zastosować polecenie `$this->body`. Warto zwrócić uwagę, że w celu uzyskania dostępu do właściwości (na przykład zmiennych) klasy trzeba użyć operatora „->", a następnie nazwy egzemplarza.

Podobnie jak w przypadku właściwości, także dostęp do metod klasy z poziomu innej metody klasy odbywa się z pomocą przedstawionej powyżej konstrukcji. Przykładowo, wywołanie metody `setSubject` następuje w przedstawiony sposób: `$this->setSubject()`.

> Warto zwrócić uwagę, że słowo kluczowe `$this` jest poprawne tylko w zasięgu metody, która nie została zadeklarowana jako `static` (statyczna). Słowa kluczowego `$this` nie można użyć z zewnątrz klasy. Więcej informacji na temat modyfikatorów `static`, `private` i `public` zostanie przedstawionych w podrozdziale Modyfikatory znajdującym się w dalszej części rozdziału.

Używanie obiektu

Nadeszła pora na użycie nowo utworzonego obiektu `Emailer` w kodzie PHP. W tym miejscu trzeba dodać, że przed użyciem obiektu należy wykonać pewne przygotowania. Przede wszystkim, zanim obiekt będzie mógł zostać użyty, wcześniej musi być utworzony jego egzemplarz. Po utworzeniu egzemplarza obiektu programista zyskuje dostęp do jego wszystkich publicznych właściwości i metod poprzez użycie operatora „->" po nazwie obiektu. W poniższym fragmencie kodu przedstawiono przykładowe użycie obiektu:

```
<?
$emailerobject = new Emailer("hasin@pageflakes.com");
$emailerobject->addRecipients("hasin@somewherein.net");
```

```
$emailerobject->setSubject("To tylko test");
$emailerobject->setBody("Cześć Hasin,Jak się miewasz?");
$emailerobject->sendEmail();
?>
```

Na powyższym fragmencie kodu pierwszym krokiem jest utworzenie egzemplarza klasy `Emailer` i przypisania go zmiennej o nazwie `$emailerobject`. Warto w tym miejscu zapamiętać bardzo ważną regułę: podczas tworzenia nowego obiektu `Emailer` należy podać adres nadawcy. Cały wiersz jest więc następujący:

```
$emailerobject = new Emailer("hasin@pageflakes.com");
```

Wynika to z faktu, że metoda konstruktora jest zdefiniowana w postaci `__construct($sender)`. Jak wspomniano wcześniej, podczas tworzenia egzemplarza obiektu następuje automatyczne wywołanie konstruktora. Dlatego też w trakcie ustanawiania klasy `Emailer` trzeba podać prawidłowe argumenty, zgodnie z definicją zawartą w metodzie konstruktora. Przykładowo, wykonanie poniższego kodu spowoduje wygenerowanie komunikatu ostrzeżenia:

```
<?
$emailer = new emailer();
?>
```

Po wykonaniu powyższego kodu na ekranie zostanie wyświetlony komunikat ostrzeżenia:

```
Warning: Missing argument 1 for emailer::__construct(),
called in C:\OOP_PHP5\Kody\rozdzial1\class.emailer.php on line 42
and defined in <b>C:\OOP_PHP5\Kody\rozdzial1\class.emailer.php</b>
on line <b>9</b><br />
```

Teraz różnica powinna być doskonale widoczna. Jeżeli klasa nie posiada metody konstruktora bądź konstruktor nie zawiera argumentów, wtedy egzemplarz obiektu można utworzyć za pomocą powyższego kodu.

Modyfikatory dostępu

W omówionej wcześniej klasie zastosowano kilka słów kluczowych, między innymi `private` i `public`. Powstaje więc pytanie, co oznaczają te słowa kluczowe i dlaczego ich zastosowanie w klasie jest konieczne? Ogólnie rzecz biorąc, wymienione słowa kluczowe są nazywane modyfikatorami dostępu i zostały wprowadzone w PHP 5. Modyfikatory dostępu *nie występowały* w PHP 4. Te słowa kluczowe pomagają programiście w definiowaniu ograniczeń w dostępności do zmiennych i właściwości dla użytkowników danej klasy. Przekonajmy się, w jaki sposób można wykorzystać dostępne modyfikatory dostępu.

Private. Właściwości lub metody zadeklarowane z użyciem słowa kluczowego `private` (prywatne) nie mogą być wywołane z zewnątrz klasy. Jednocześnie dowolne metody wewnątrz tej samej klasy mogą bez problemu uzyskać dostęp do elementów prywatnych. W omawianej klasie `Emailer` wszystkie właściwości zostały zdefiniowane jako prywatne, dlatego też wykonanie poniższego kodu spowoduje wygenerowanie komunikatu błędu:

```
<?
include_once("class.emailer.php");
$emobject = new Emailer("hasin@somewherein.net");
$emobject->subject = "Witaj świecie";
?>
```

Po wykonaniu powyższego kodu zostanie wygenerowany błąd krytyczny:

```
<b>Fatal error</b>: Cannot access private property emailer::$subject
 in <b>C:\OOP_PHP5\Kody\rozdzial1\class.emailer.php</b> on line
<b>43</><br />
```

Oznacza to, że z zewnątrz klasy nie można uzyskać dostępu do jakiejkolwiek prywatnej właściwości bądź metody.

Public. Każda właściwość lub metoda, która nie została wyraźnie zdefiniowana z użyciem słów kluczowych `private` (prywatna) bądź `protected` (chroniona), jest metodą publiczną (`public`). Dostęp do metod publicznych jest możliwy również z zewnątrz klasy.

Protected. To jest kolejny modyfikator dostępu, który ma znaczenie specjalne w programowaniu zorientowanym obiektowo. Jeżeli jakakolwiek właściwość lub metoda zostanie zdefiniowana z użyciem słowa kluczowego `protected`, to dostęp do niej można uzyskać tylko z poziomu podklasy. Więcej informacji dotyczących podklas zostanie przedstawionych w dalszej części rozdziału. Aby zademonstrować, w jaki sposób działa chroniona metoda lub właściwość, posłużymy się kolejnym przykładem.

Rozpoczynamy od otwarcia pliku *class.emailer.php* (czyli klasy `Emailer`) i zmieniamy deklarację zmiennej `$sender`. Po zmianie definicja zmiennej powinna być następująca:

```
protected $sender
```

Następnie tworzymy kolejny plik o nazwie *class.extendedemailer.php*, w którym powinien znajdować się poniższy fragment kodu:

```
<?
class ExtendedEmailer extends emailer
{
function  __construct(){}
   public function setSender($sender)
   {
      $this->sender = $sender;
   }
}
?>
```

Kolejny krok to użycie w następujący sposób nowo utworzonego obiektu:

```
<?
include_once("class.emailer.php");
include_once("class.extendedemailer.php");
$xemailer = new ExtendedEmailer();
$xemailer->setSender("hasin@pageflakes.com");
$xemailer->addRecipients("hasin@somewherein.net");
$xemailer->setSubject("To tylko test ");
$xemailer->setBody("Cześć Hasin,Jak się miewasz?");
$xemailer->sendEmail();
?>
```

Po dokładnym przyjrzeniu się kodowi klasy `ExtendedEmailer` czytelnik zauważy, że następuje próba uzyskania dostępu do właściwości `$sender` jej klasy nadrzędnej (którą w rzeczywistości jest klasa `Emailer`). Dostęp do wymienionej właściwości jest możliwy, ponieważ została zadeklarowana jako chroniona. Dodatkową zaletą jest fakt, że właściwość `$sender` nadal pozostaje bezpośrednio niedostępna poza zasięgiem obu wymienionych klas. Oznacza to, że próba wykonania poniższego fragmentu kodu spowoduje wygenerowanie błędu krytycznego:

```
<?
include_once("class.emailer.php");
include_once("class.extendedemailer.php");
$xemailer = new ExtendedEmailer();
$xemailer->sender = "hasin@pageflakes.com";
?>
```

Po wykonaniu powyższego kodu zostanie wygenerowany błąd krytyczny:

```
<b>Fatal error</b>:  Cannot access protected property
extendedEmailer::$sender in <b>C:\OOP_PHP5\Kody\rozdzial1\test.php
</b> on line <b>5</b><br />
```

Konstruktory i destruktory

We wcześniejszej części rozdziału wspomniano o metodzie konstruktora. Wymieniony konstruktor to metoda specjalna, która jest automatycznie wykonywana podczas tworzenia egzemplarza klasy. W języku PHP 5 istnieją dwa sposoby napisana metody konstruktora wewnątrz klasy. Pierwszy z nich to po prostu zdefiniowanie w klasie metody o nazwie `__construct()`. Natomiast drugim sposobem jest utworzenie metody o nazwie identycznej jak nazwa klasy. Przykładowo, jeśli klasa nosi nazwę `Emailer`, to nazwą metody konstruktora będzie `Emailer()`. Przyjrzyjmy się poniższej klasie, której zadaniem jest obliczanie silni dowolnej liczby:

```
<?
// class.factorial.php
class factorial
```

```
{
   private $result = 1;// Inicjalizację można przeprowadzić bezpośrednio z zewnątrz.
   private $number;
   function __construct($number)
   {
      $this->number = $number;
      for($i=2; $i<=$number; $i++)
      {
         $this->result *= $i;
      }
   }
   public function showResult()
   {
      echo "Silnia liczby {$this->number} wynosi {$this->result}. ";
   }
}
?>
```

Na powyższym fragmencie kodu do zdefiniowania konstruktora wykorzystano metodę `__construct()`. Działanie kodu pozostanie bez zmian, jeśli nazwa metody `__construct()` zostanie zmieniona na `factorial()`.

W tym miejscu może zrodzić się pytanie, czy w klasie dopuszczalne jest użycie konstruktorów zdefiniowanych za pomocą obu omówionych stylów? Oznacza to istnienie w klasie funkcji o nazwie `__construct()` oraz funkcji o nazwie identycznej z nazwą klasy. Który z konstruktorów zostanie użyty w takim przypadku? A może zostaną wykonane obie te funkcje? To są bardzo trafne i ciekawe pytania. Warto zapamiętać, że w rzeczywistości jednak nie ma możliwości wykonania obu funkcji. Jeżeli w klasie będą zdefiniowane dwie metody konstruktora, to PHP 5 daje pierwszeństwo funkcji `__construct()`, natomiast druga metoda konstruktora będzie zignorowana. Spójrzmy na poniższy fragment kodu:

```
<?
// class.factorial.php
class Factorial
{
   private $result = 1;
   private $number;
   function __construct($number)
   {
      $this->number = $number;
      for($i=2; $i<=$number; $i++)
      {
         $this->result*=$i;
      }
      echo "Wykonano metodę __construct(). ";
   }
   function factorial($number)
   {
      $this->number = $number;
```

```
        for($i=2; $i<=$number; $i++)
        {
           $this->result*=$i;
        }
        echo " Wykonano metodę factorial(). ";
     }
     public function showResult()
     {
        echo " Silnia liczby {$this->number} wynosi {$this->result}. ";
     }
  }
  ?>
```

Jeżeli powyższa klasa zostanie użyta w następujący sposób:

```
<?
include_once("class.factorial.php");
$fact = new Factorial(5);
$fact->showResult();
?>
```

to na ekranie zostanie wyświetlony poniższy komunikat:

```
Wykonano metodę __construct().Silnia liczby 5 wynosi 120.
```

Podobnie do metody konstruktora w klasie występuje również metoda destruktora, która jest wykonywana w trakcie niszczenia obiektu. Programista może wyraźnie utworzyć destruktora poprzez zdefiniowanie metody o nazwie `__destruct()`. Wymieniona metoda zostanie automatycznie wywołana przez PHP na samym końcu wykonywania danego skryptu. Aby sprawdzić, w jaki sposób działa destruktor, można w omówionej powyżej klasie dodać metodę destruktora:

```
function __destruct()
{
   echo "Obiekt został zniszczony.";
}
```

Następnie, po ponownym wykonaniu skryptu obliczającego silnię, na ekranie zostanie wyświetlony następujący komunikat:

```
Wykonano metodę __construct(). Silnia liczby 5 wynosi 120. Obiekt został
zniszczony.
```

Stałe klasy

Czytelnik prawdopodobnie wie, że w skryptach PHP definiowanie stałej odbywa się za pomocą słowa kluczowego `define` (definiowanie nazwy stałej oraz jej wartości). Jednak w celu zdefiniowania stałej w klasie używa się słowa kluczowego `const`. W rzeczywistości te stałe funkcjonują na zasadzie zmiennych statycznych, a jedyna różnica między nimi polega na tym, że są tylko do odczytu. Przykład tworzenia i używania stałych w klasie został przedstawiony na poniższym fragmencie kodu:

```
<?
class WordCounter
{
   const ASC=1;  // Przed stałą nie trzeba stosować znaku dolara ($).
   const DESC=2;
   private $words;
   function __construct($filename)
   {
      $file_content = file_get_contents($filename);
      $this->words =
         (array_count_values(str_word_count(strtolower
            ($file_content),1)));
   }
   public function count($order)
   {
      if ($order==self::ASC)
      asort($this->words);
      else if($order==self::DESC)
      arsort($this->words);
      foreach ($this->words as $key=>$val)
      echo $key ." = ". $val."<br/>";
   }
}
?>
```

Powyższa klasa `WordCounter` powoduje zliczanie częstotliwości występowania słów w podanym pliku. W kodzie zdefiniowano dwie stałe `ASC` i `DESC` o wartościach odpowiednio `1` i `2`. Aby wewnątrz klasy uzyskać dostęp do stałej, należy odnieść się do niej za pomocą słowa kluczowego `self`. Warto zwrócić uwagę, że dostęp do stałej następuje za pomocą operatora `::`, a nie operatora `->`. Wynika to z faktu, że stałe działają na zasadzie podobnej do elementów statycznych.

W celu użycia powyższej klasy trzeba wykorzystać przedstawiony poniżej fragment kodu. Zaprezentowano w nim również sposób dostępu do stałej:

```
<?
include_once("class.wordcounter.php");
$wc = new WordCounter("words.txt");
$wc->count(WordCounter::DESC);
?>
```

Warto zwrócić uwagę, że dostęp do stałej klasy następuje z zewnątrz klasy za pomocą operatora `::` umieszczonego tuż za nazwą klasy, a nie za nazwą egzemplarza klasy. Kolejnym krokiem, który trzeba wykonać w celu przetestowania omówionego skryptu, jest utworzenie pliku tekstowego *words.txt*. Wymieniony plik musi znajdować się w tym samym katalogu, w którym umieszczono skrypt:

Plik: words.txt

```
Wordpress jest silnikiem bloga dostepnym na licencji open source. Czytelnikom
nieznajacym blogów wyjasniamy, ze blog pozwala uzytkownikowi na prowadzenie
dziennika w Internecie. Wordpress jest zupelnie bezplatny i zostal wydany
na licencji GPL.
```

Po wykonaniu skryptu z podanym powyżej plikiem zostaną wyświetlone następujące dane wyjściowe:

```
na = 3
licencji = 2
wordpress = 2
blog = 2
w = 2
jest = 2
internecie = 1
dziennika = 1
prowadzenie = 1
zupelnie = 1
bezplatny = 1
gpl = 1
wydany = 1
zostal = 1
i = 1
uzytkownikowi = 1
pozwala = 1
source = 1
open = 1
bloga = 1
czytelnikom = 1
nieznajacym = 1
ze = 1
wyjasniamy = 1
silnikiem = 1
dostepnym = 1
```

Użyteczny skrypt, nieprawdaż?

Rozszerzanie klasy (dziedziczenie)

Jedną z najistotniejszych funkcji programowania zorientowanego obiektowo jest możliwość rozszerzenia klasy oraz utworzenie zupełnie nowego obiektu. Ten nowo utworzony obiekt będzie posiadał wszystkie funkcje obiektu nadrzędnego, które będą mogły zostać rozbudowane bądź nadpisane. Nowy obiekt może także zawierać zupełnie nowe funkcje. Na poniższym fragmencie kodu rozszerzono przedstawioną wcześniej klasę `Emailer` oraz nadpisano funkcję `sendEmail`, która obecnie ma możliwość wysyłania wiadomości e-mail w formacie HTML.

```
<?
class HtmlEmailer extends emailer
{
   public function sendHTMLEmail()
   {
         foreach ($this->recipients as $recipient)
         {
            $headers  = 'MIME-Version: 1.0' . "\r\n";
            $headers .= 'Content-type: text/html; charset=iso-8859-2' .
               "\r\n";
            $headers .= 'From: {$this->sender}' . "\r\n";
            $result = mail($recipient, $this->subject, $this->body,
               $headers);
            if ($result) echo "Wiadomość w formacie HTML została wysłana do
               {$recipient}<br/>";
      }
   }
}
?>
```

Ponieważ nowa klasa rozszerza klasę `Emailer` oraz wprowadza nową funkcję o nazwie `sendHTMLEmail()`, to programista nadal posiada dostęp do wszystkich metod obecnych w klasie nadrzędnej. Oznacza to, że przedstawiony poniżej fragment kodu jest jak najbardziej prawidłowy:

```
<?
include_once("class.htmlemailer.php");
$hm = new HtmlEmailer();
// ...miejsce na inne zadania...
$hm->sendEmail();
$hm->sendHTMLEmail();
?>
```

Jeżeli zachodzi potrzeba uzyskania dostępu do dowolnej metody klasy nadrzędnej (inaczej nazywanej superklasą), to można użyć słowa kluczowego `parent`. Przykładowo, jeżeli programista chce uzyskać dostęp do metody o nazwie `sayHello`, to należy wydać polecenie `parent::sayHello();`.

Warto zwrócić uwagę, że w klasie `HtmlEmailer` nie została zdefiniowana funkcja o nazwie `sendEmail()`. Natomiast wymieniona metoda działa z klasy nadrzędnej, czyli `Emailer`.

> W omówionym powyżej przykładzie klasa `HtmlEmailer` jest podklasą klasy `Emailer`, natomiast klasa `Emailer` to superklasa dla klasy `HtmlEmailer`. Trzeba zapamiętać, że jeśli podklasa nie posiada konstruktora, to zostanie użyta metoda konstruktora klasy nadrzędnej. W trakcie pisania niniejszej książki wielokrotne dziedziczenie na poziomie klasy nie było obsługiwane. Oznacza to, że nie można jednocześnie dziedziczyć z więcej niż tylko jednej klasy. Jednak wielokrotne dziedziczenie jest obsługiwane w interfejsach. Dlatego też interfejs może rozszerzać dowolną liczbę interfejsów.

Nadpisywanie metod

W rozszerzanym obiekcie można nadpisać dowolną metodę (zdefiniowaną jako chronioną lub publiczną) i dowolnie zmieniać sposób jej działania. W jaki więc sposób można nadpisać dowolną metodę? Wystarczy po prostu utworzyć funkcję o takiej samej nazwie jak ta, która ma zostać nadpisana. Przykładowo, po utworzeniu w klasie `HtmlEmailer` funkcji o nazwie `sendEmail` spowoduje ona nadpisanie metody `sendEmail()` zdefiniowanej w klasie nadrzędnej `Emailer`. Jeżeli w podklasie zostanie zdefiniowana zmienna, która istnieje także w superklasie, to podczas dostępu do zmiennej zostanie użyta ta zdefiniowana w podklasie.

Uniemożliwianie nadpisywania

Jeżeli metoda zostanie zdefiniowana z użyciem słowa kluczowego `final`, to nie będzie mogła zostać nadpisana w żadnej podklasie. Dlatego też, jeżeli programista nie chce, aby dana metoda była nadpisywana, to wystarczy zdefiniować ją jako `final`. Poniżej pokazano definicję metody z użyciem słowa kluczowego `final`:

```
<?
class SuperClass
{
   public final function someMethod()
   {
      // ...miejsce na dowolny kod...
   }
}
class SubClass extends SuperClass
{
   public function someMethod()
   {
      // ...miejsce na dowolny kod, ale i tak nie zostanie on wykonany...
   }
}
?>
```

Jeżeli powyższy kod zostanie wykonany, to spowoduje wygenerowanie błędu krytycznego, ponieważ klasa `SubClass` próbuje nadpisać metodę z klasy nadrzędnej `SuperClass`, która została zdefiniowana z użyciem słowa kluczowego `final`.

Uniemożliwianie rozszerzania

Podobnie jak w przypadku metody zdefiniowanej jako `final`, także klasę można zdefiniować z użyciem słowa kluczowego `final`, które uniemożliwi jej rozszerzanie. Dlatego też po zdefiniowaniu klasy w sposób przedstawiony na poniższym listingu nie będzie można jej dalej rozszerzać:

```
<?
final class aclass
{
}
class bclass extends aclass
{
}
?>
```

Po wykonaniu powyższego kodu zostanie wygenerowany następujący błąd krytyczny:

```
<b>Fatal error</b>: Class bclass may not inherit from final class
(aclass) in <b>C:\OOP_PHP5\Kody\rozdzial1\class.aclass.php</b> on
line <b>8</b><br />
```

Polimorfizm

Jak już wspomniano we wcześniejszej części książki, polimorfizm jest procesem tworzenia kilku obiektów z określonych klas bazowych. Przykładowo, warto spojrzeć na poniższy przykład, w którym wykorzystano wszystkie trzy klasy omówione dotychczas w rozdziale `Emailer`, `ExtendedEmailer` oraz `HtmlEmailer`:

```
<?
include("class.emailer.php");
include("class.extendedemailer.php");
include("class.htmlemailer.php");
$emailer = new Emailer("hasin@somewherein.net");
$extendedemailer = new ExtendedEmailer();
$htmlemailer = new HtmlEmailer("hasin@somewherein.net");
if ($extendedemailer instanceof emailer)
echo "Klasa Extended Emailer wywodzi się z klasy Emailer.<br/>";
if ($htmlemailer instanceof emailer)
echo "Klasa HTML Emailer również wywodzi się z klasy Emailer.<br/>";
if ($emailer instanceof htmlEmailer)
echo "Klasa Emailer wywodzi się z klasy HTMLEmailer.<br/>";
if ($htmlemailer instanceof extendedEmailer)
echo "Klasa HTML Emailer wywodzi się z klasy Emailer.<br/>";
?>
```

Po wykonaniu powyższego fragmentu kodu zostaną wyświetlone następujące dane wyjściowe:

```
Klasa Extended Emailer wywodzi się z klasy Emailer.
Klasa HTML Emailer również wywodzi się z klasy Emailer.
```

To jest przykład polimorfizmu.

Dzięki zastosowaniu operatora `instanceof` zawsze istnieje możliwość sprawdzenia, czy klasa wywodzi się z innej klasy.

Interfejs

Interfejs jest pustą klasą, która zawiera jedynie deklaracje metod. Dlatego też każda klasa implementująca dany interfejs musi zawierać deklaracje zawartych w nim funkcji. Interfejs jest więc jedynie zbiorem ściśle określonych reguł, które pomagają w rozszerzaniu dowolnej klasy oraz ścisłej implementacji wszystkich metod zadeklarowanych w interfejsie. Klasa może stosować dowolny interfejs, używając słowa kluczowego `implements`. Warto zwrócić uwagę, że w interfejsie można jedynie zadeklarować metody, ale nie można umieścić w nim definicji tychże metod. Oznacza to, że w interfejsie części główne wszystkich metod pozostają puste.

Powstaje więc pytanie, do czego może służyć interfejs? Jednym z powodów jego stosowania jest możliwość implementacji ściśle określonych reguł podczas definicji klasy. Przykładowo, programista wie, że musi utworzyć klasy pewnego sterownika dla programu, które będą zawierały operacje związane z bazą danych. Dla bazy danych MySQL będzie to jedna klasa, dla PostgreSQL będzie to kolejna klasa, dla SQLite kolejna, itd. W takim przypadku zespół programistów może liczyć trzy osoby, z których każda będzie oddzielnie tworzyła wskazaną klasę.

Można teraz zadać sobie pytanie, jaki byłby wynik pracy tych programistów, gdyby każdy z nich implementował w klasie własny styl? Inni programiści, którzy chcieliby wykorzystać te klasy sterowników, musieliby poznać definicje użytych metod, a następnie stosować taki sam styl, aby móc je wykorzystać we własnym kodzie. Takie rozwiązanie staje się wyjątkowo trudne w obsłudze. Dlatego też można po prostu ustalić, że każda klasa sterownika musi posiadać dwie metody o nazwach `connect()` i `execute()`. W takim przypadku programiści nie muszą przejmować się wewnętrzną strukturą sterownika, ponieważ doskonale wiedzą, że wszystkie klasy posiadają takie same definicje metod. Interfejs stanowi więc duże ułatwienie podczas pracy nad tego rodzaju projektem. Poniżej przedstawiono kod przykładowego interfejsu:

```
<?
// interface.dbdriver.php
interface DBDriver
{
    public function connect();
    public function execute($sql);
}
?>
```

Czy czytelnik zwrócił uwagę na fakt, że w interfejsie definicje funkcji są puste? Kolejny krok to utworzenie klasy `MySQLDriver`, która będzie implementowała przedstawiony powyżej interfejs:

```
<?
// class.mysqldriver.php
include("interface.dbdriver.php");
class MySQLDriver implements DBDriver
{
}
?>
```

Jeżeli powyższy kod zostanie uruchomiony, to spowoduje wygenerowanie poniższego komunikatu błędu. Wynika to z faktu, że w klasie `MySQLDriver` nie zostały zdefiniowane funkcje `connect()` i `execute()`, które są zadeklarowane w interfejsie. Warto więc uruchomić kod i odczytać komunikat błędu:

```
<b>Fatal error</b>: Class MySQLDriver contains 2 abstract methods
and must therefore be declared abstract or implement the remaining
methods (DBDriver::connect, DBDriver::execute) in
<b>C:\OOP_PHP5\Kody\rozdzial1\class.mysqldriver.php</b> on line <b>5</b><br />
```

Kolejny krok to dodanie do klasy `MySQLDriver` dwóch metod. Po wprowadzeniu zmian kod przedstawia się następująco:

```
<?
include("interface.dbdriver.php");
class MySQLDriver implements DBDriver
{
   public function connect()
   {
      // Nawiązanie połączenia z bazą danych.
   }
   public function execute()
   {
      // Wykonanie zapytania i wyświetlenie jego wyników.
   }
}
?>
```

Po uruchomieniu powyższego kodu na ekranie ponownie zostanie wyświetlony komunikat błędu:

```
<b>Fatal error</b>:  Declaration of MySQLDriver::execute() must be
compatible with that of DBDriver::execute() in
<b>C:\OOP_PHP5\Kody\rozdzial1\class.mysqldriver.php</b> on line <b>3</b><br />
```

Ten komunikat informuje użytkownika, że metoda `execute()` nie jest zgodna ze strukturą metody `execute()`, która została zadeklarowana w interfejsie. Po dokładnym przyjrzeniu się interfejsowi czytelnik zauważy, że metoda `execute()` powinna posiadać jeden argument. Oznacza to, że w trakcie implementacji interfejsu w tworzonych klasach każda struktura metody musi być dokładnie taka sama jak zadeklarowana w interfejsie. Po przepisaniu klasy `MySQLDriver` jej kod przedstawia się następująco:

```
<?
include("interface.dbdriver.php");
class MySQLDriver implements DBDriver
{
   public function connect()
   {
      // Nawiązanie połączenia z bazą danych.
   }
   public function execute($query)
   {
      // Wykonanie zapytania i wyświetlenie jego wyników.
   }
}
?>
```

Klasa abstrakcyjna

Klasa abstrakcyjna jest niemal taką samą konstrukcją jak interfejs, za wyjątkiem faktu, że deklarowane w niej metody mogą posiadać definicje. Ponadto klasa abstrakcyjna musi być „rozszerzana", a nie „implementowana". Dlatego też, jeżeli rozszerzane klasy posiadają metody o takich samych funkcjach, to te funkcje można zdefiniować w klasie abstrakcyjnej. Poniżej przedstawiono przykład klasy abstrakcyjnej:

```
<?
// abstract.reportgenerator.php
abstract class ReportGenerator
{
   public function generateReport($resultArray)
   {
      // Miejsce na kod przetwarzający wielowymiarową tablicę wynikową oraz
      // generujący raport w postaci kodu HTML.
   }
}
?>
```

W powyższej klasie abstrakcyjnej znajduje się metoda o nazwie `generateRaport`, która jako argument pobiera wielowymiarową tablicę, a następnie na jej podstawie generuje raport w postaci kodu HTML. Powstaje zatem pytanie, dlaczego ta metoda została umieszczona w klasie abstrakcyjnej? Odpowiedź jest prosta — ponieważ generowanie raportu będzie wspólną funkcją wszystkich sterowników baz danych. Sama funkcja nie wpływa również na kod sterownika, ponieważ jako argument pobiera tablicę i nie ma nic wspólnego z bazą danych. Dlatego też w przedstawionym poniżej kodzie klasy `MySQLDriver` zastosowano klasę abstrakcyjną. Warto zwrócić uwagę, że cały kod odpowiedzialny za generowanie raportu został już wcześniej napisany. Nie trzeba więc umieszczać go ponownie w klasie sterownika, jak miałoby to miejsce w przypadku interfejsu.

```
<?
include("interface.dbdriver.php");
include("abstract.reportgenerator.php");
class MySQLDriver extends ReportGenerator implements DBDriver
{
   public function connect()
   {
      // Nawiązanie połączenia z bazą danych.
   }
   public function execute($query)
   {
      // Wykonanie zapytania i wyświetlenie jego wyników.
   }
   // Nie trzeba w tym miejscu ponownie definiować lub umieszczać metody generateReport
   // ponieważ ta klasa bezpośrednio rozszerza klasę abstrakcyjną.
}
?>
```

Warto zwrócić uwagę, że jednocześnie można zarówno używać klasy abstrakcyjnej, jak i implementować interfejs. Zostało to przedstawione na powyższym fragmencie kodu.

> Klasę abstrakcyjną (`abstract`) nie można zdefiniować za pomocą słowa kluczowego `final`, ponieważ klasa abstrakcyjna musi być rozszerzana. Natomiast słowo kluczowe `final` uniemożliwia rozszerzenie tak zdefiniowanej klasy. Dlatego też jednoczesne użycie tych dwóch wymienionych słów kluczowych jest bezsensowne i język PHP na to nie pozwala.

Oprócz zdefiniowania klasy jako abstrakcyjnej także i metodę można zdefiniować z użyciem słowa kluczowego `abstract`. Zdefiniowanie metody abstrakcyjnej oznacza, że podklasy muszą nadpisywać tę metodę. W deklaracji metody abstrakcyjnej nie powinna znajdować się jej definicja. Przykład deklaracji metody abstrakcyjnej został przedstawiony poniżej:

```
abstract public function connectDB();
```

Metody i właściwości statyczne

Słowo kluczowe `static` jest istotne w programowaniu zorientowanym obiektowo. Metody i właściwości statyczne pełnią bardzo ważną rolę zarówno w projekcie programu, jak i wzorcach projektowych. Czym więc są metody i właściwości statyczne?

Jak wcześniej przedstawiono, w celu uzyskania dostępu do dowolnej metody bądź atrybutu klasy wcześniej trzeba utworzyć jej egzemplarz (na przykład za pomocą słowa kluczowego `new`, czyli `$object = new emailer()`). W przeciwnym razie nie będzie można uzyskać dostępu do metod i właściwości danej klasy. Istnieje jednak odstępstwo od tej reguły i dotyczy metod i właściwości statycznych. Do metody lub właściwości statycznej programista może uzyskać dostęp bezpośrednio bez potrzeby tworzenia egzemplarza danej klasy. Element statyczny jest więc podobny do elementu globalnego danej klasy i wszystkich jej egzemplarzy. Ponadto właściwości statyczne zachowują stan z ostatniego przypisania, co w niektórych sytuacjach jest bardzo użyteczne.

Czytelnik może zadać pytanie, dlaczego ktokolwiek chciałby używać metod statycznych? Cóż, są one bardzo podobne do metod pomocniczych. Wykonują więc ściśle określone zadanie lub zwracają ściśle określony obiekt. (Właściwości i metody statyczne są intensywnie używane we wzorcach projektowych, co zostanie przedstawione w dalszej części rozdziału). Z tego powodu deklarowanie nowego obiektu za każdym razem do wykonania takiego zadania może być uznane za niepotrzebne zużywanie zasobów. Spójrzmy więc na przykład użycia metod statycznych.

Wróćmy do omawianego wcześniej programu, który zajmuje się obsługą trzech baz danych — MySQL, PostgreSQL i SQLite. Zakładamy, że w danej chwili zachodzi potrzeba używania tylko jednego sterownika. W tym celu tworzymy klasę `DBManager`, której zadaniem jest utworzenie egzemplarza dowolnego sterownika oraz jego zwrócenie programiście.

```
<?
// class.dbmanager.php
class DBManager
{
   public static function getMySQLDriver()
   {
      // Utworzenie nowego egzemplarza obiektu sterownika bazy danych MySQL i jego
      // zwrócenie.
   }
   public static function getPostgreSQLDriver()
   {
      // Utworzenie nowego egzemplarza obiektu sterownika bazy danych PostgreSQL i jego
      // zwrócenie.
   }
   public static function getSQLiteDriver()
   {
      // Utworzenie nowego egzemplarza obiektu sterownika bazy danych SQLite i jego
      // zwrócenie.
   }
}
?>
```

W jaki sposób można użyć powyższą klasę? Dostęp do dowolnej właściwości statycznej odbywa się poprzez operator `::` zamiast operatora `->`. Przykład użycia klasy `DBManager` został przedstawiony poniżej:

```
<?
// test.dbmanager.php
include_once("class.dbmanager.php");
$dbdriver = DBManager::getMySQLDriver();
// Miejsce na kod przetwarzający operacje bazy danych za pomocą obiektu $dbdriver.
?>
```

Warto zwrócić uwagę, że w kodzie nie następuje tworzenie nowego egzemplarza obiektu DBManager, na przykład za pomocą polecenia $dbmanager = new DBManager(). Zamiast tego, używając operatora :: programista uzyskuje bezpośredni dostęp do jednej z metod wymienionego obiektu.

Co zyskuje programista, stosując tego typu rozwiązanie? Ogólnie rzecz biorąc, skoro po prostu potrzebny jest obiekt sterownika, to nie ma potrzeby tworzenia nowego obiektu DBManager i zużywania przez niego pamięci aż do chwili zakończenia działania skryptu. Metoda statyczna zwykle wykonuje swoje zadanie, a następnie kończy działanie.

Trzeba zapamiętać jedną bardzo ważną kwestię. Wewnątrz metody statycznej nie można używać pseudoobiektu $this. Ponieważ nie jest tworzony egzemplarz klasy, to słowo kluczowe $this nie istnieje wewnątrz metody statycznej. Zamiast niego należy stosować słowo kluczowe self.

Spójrzmy na poniższy fragment kodu, w którym zademonstrowano rzeczywisty sposób działania właściwości statycznej:

```
<?
// class.statictester.php
class StaticTester
{
   private static $id=0;
   function __construct()
   {
      self::$id +=1;
   }
   public static function checkIdFromStaticMehod()
   {
      echo "Bieżące Id z metody statycznej wynosi ".self::$id."\n";
   }
   public function checkIdFromNonStaticMethod()
   {
      echo " Bieżące Id z metody niestatycznej wynosi ".self::$id."\n";
   }
}
$st1 = new StaticTester();
StaticTester::checkIdFromStaticMehod();
$st2 = new StaticTester();
$st1->checkIdFromNonStaticMethod(); // Zwrot wartości $id jako 2.
$st1->checkIdFromStaticMehod();
$st2->checkIdFromNonStaticMethod();
$st3 = new StaticTester();
StaticTester::checkIdFromStaticMehod();
?>
```

Po uruchomieniu powyższego kodu zostaną wyświetlone następujące dane wyjściowe:

```
Bieżące Id z metody statycznej wynosi 1
Bieżące Id z metody niestatycznej wynosi 2
Bieżące Id z metody statycznej wynosi 2
Bieżące Id z metody niestatycznej wynosi 2
Bieżące Id z metody statycznej wynosi 3
```

Kiedy tylko zostanie utworzony nowy egzemplarz obiektu, będzie on wpływał na pozostałe egzemplarze, ponieważ zmienna została zdefiniowana jako statyczna. Używanie tej możliwości, czyli specjalnego wzorca projektowego o nazwie „Singleton", doskonale sprawdza się w PHP.

Ostrzeżenie dotyczące używania elementów statycznych

Elementy statyczne powodują, że obiekty zachowują się w sposób podobny do proceduralnego stylu działania. Bez tworzenia egzemplarzy programista może bezpośrednio wywołać dowolną funkcję, podobnie jak w programowaniu proceduralnym. Z tego powodu metody statyczne powinny być używane z zachowaniem ostrożności. Nadmierne korzystanie z metod statycznych jest nieużyteczne. O ile nie zachodzi taka konieczność, to należy unikać używania elementów statycznych.

Metody akcesorów

Metody akcesorów to po prostu metody, których zadaniem jest pobieranie i ustalanie wartości dowolnej właściwości klasy. Dobrym nawykiem jest uzyskiwanie dostępu do właściwości klasy za pomocą metod akcesorów zamiast bezpośredniego ustalania lub pobierania ich wartości. Chociaż metody akcesorów są takie same jak inne metody, to jednak istnieją pewne konwencje ich tworzenia.

Dostępne są dwa rodzaje metod akcesorów. Pierwszy z nich nosi nazwę `getter`, a celem tej metody jest pobranie wartości dowolnej właściwości klasy. Drugi rodzaj metody nosi nazwę `setter` i służy do ustalania wartości dowolnej właściwości klasy. Poniżej zaprezentowano przykładowe metody `getter` i `setter` używane do operacji na właściwościach klasy:

```
<?
class Student
{
   private $name;
   private $roll;
   public function setName($name)
   {
      $this->name= $name;
   }
   public function setRoll($roll)
   {
      $this->roll =$roll;
   }
```

```
        public function getName()
        {
            return $this->name;
        }
        public function getRoll()
        {
            return $this->roll;
        }
    }
?>
```

W powyższym fragmencie kodu zastosowano po dwie metody typu `getter` oraz `setter`. To jest konwencja pisania metod akcesorów. Metoda typu `setter` powinna rozpoczynać się słowem kluczowym `set`, a następnie zawierać nazwę właściwości, której pierwsza litera jest duża. Podobnie, metoda typu `getter` powinna rozpoczynać się słowem kluczowym `get`, a następnie zawierać nazwę zmiennej, w której pierwsza litera jest duża. Oznacza to, że jeśli nazwą właściwości jest `email`, to metoda typu `getter` powinna być nazwana `getEmail`, natomiast metoda typu `setter` powinna mieć nazwę `setEmail`. I to tyle!

Czytelnik może w tym miejscu zapytać, dlaczego ktokolwiek mógłby chcieć wykonywać dodatkową pracę, definiując te metody, skoro zmienne można zdefiniować jako publiczne, a resztę pozostawić bez zmian? Czy to nie będzie miało takiego samego efektu? Ogólnie rzecz ujmując, nie. Używając metod akcesorów, programista otrzymuje dodatkowe korzyści. Przede wszystkim zachowuje pełną kontrolę nad ustalaniem i pobieraniem wartości dowolnej właściwości. „I co z tego?" — mógłby zapytać czytelnik. Załóżmy, że zachodzi potrzeba zastosowania filtrów danych wejściowych użytkownika przed ustawieniem wartości właściwości. W takim przypadku metoda typu `setter` pozwala na filtrowanie danych wejściowych przed ich ustawieniem i użyciem w programie.

Czy jeśli w klasie znajduje się 100 właściwości, to programista musi napisać po sto metod typu `getter` i `setter`? To bardzo dobre pytanie. Język PHP jest na tyle elegancki, że wyręcza programistę z takiego żmudnego zadania. W jaki sposób? Odpowiedź na to pytanie znajduje się w kolejnym podrozdziale, w którym zostaną omówione metody magiczne służące do dynamicznego pobierania i ustalania wartości właściwości. Używanie tego rodzaju metod powoduje redukcję o około 90% pracy związanej z koniecznością żmudnego pisania kodu metod akcesorów. Aż trudno w to uwierzyć, nieprawdaż? Jeśli tak, to warto się o tym przekonać samodzielnie.

Używanie metod magicznych do pobierania i ustalania wartości właściwości klasy

Jak wspomniano w poprzednim podrozdziale, pisanie dużej liczby metod akcesorów dla właściwości klasy może być prawdziwym koszmarem. Aby uniknąć tego nudnego zadania, można wykorzystać metody magiczne. Taki proces nosi nazwę przeciążania metody.

W PHP 5 wprowadzono w klasach kilka metod magicznych, które znacznie ułatwiają pracę w niektórych zadaniach wykonywanych w OOP. Dwie z tych metod służą do dynamicznego pobierania i ustalania wartości w klasie. Wspomniane metody noszą nazwy `__get()` oraz `__set()`. Przykład ich użycia został przedstawiony w poniższym fragmencie kodu:

```
<?
// class.student.php
class Student
{
   private $properties = array();
   function __get($property)
   {
      return $this->properties[$property];
   }
   function __set($property, $value)
   {
      $this->properties[$property]="AutoSet {$property} jako: ".$value;
   }
}
?>
```

Kolejny krok to użycie tego kodu w programie. Powyższa klasa zostaje więc zastosowana w poniższym skrypcie:

```
<?
$st = new Student();
$st->name = "Afif";
$st->roll=16;
echo $st->name."\n";
echo $st->roll;
?>
```

Po wykonaniu kodu PHP natychmiast rozpozna, że w klasie nie istnieją właściwości `name` i `roll`. Ponieważ nazwy właściwości istnieją, to nastąpi wywołanie metody `__set()`, która następnie przypisze wartość nowo utworzonej właściwości klasy. Na ekranie zostaną więc wyświetlone następujące dane wyjściowe:

```
AutoSet name jako: Afif
AutoSet roll jako: 16
```

Wygląda to całkiem interesująco, nieprawdaż? Używając metod magicznych, programista wciąż zachowuje pełną kontrolę nad ustawianiem i pobieraniem wartości właściwości klasy. Stosowanie metod magicznych wiąże się jednak z jednym ograniczeniem. Podczas używania Reflection API nie ma możliwości badania właściwości klasy (wymienione Reflection API zostanie przedstawione w jednym z kolejnych rozdziałów). Ponadto, sama klasa traci nieco ze swojej „czytelności" oraz „łatwości obsługi". Dlaczego? Warto spojrzeć na poprzednią i nową klasę `Student`, aby samodzielnie odpowiedzieć sobie na to pytanie.

Metody magiczne służące do przeciążania metod klasy

Podobnie jak w przypadku przeciążania i używania metod akcesorów dostępne są również metody magiczne służące do przeciążania wywołania dowolnej metody klasy. Jeżeli czytelnik nadal nie rozumie pojęcia przeciążania metody, to warto przypomnieć, że jest to proces uzyskiwania dostępu do dowolnej metody, która nawet nie istnieje w klasie. Brzmi niewiarygodnie, nieprawdaż? Przyjrzyjmy się bliżej temu zagadnieniu.

Istnieje metoda magiczna, która pomaga w przeciążaniu dowolnego wywołania metody w kontekście klasy języka PHP 5. Nazwa tej metody magicznej to `__call()`. Pozwala ona na zdefiniowanie działań lub wartości zwrotnej w sytuacji, gdy w obiekcie następuje wywołanie niezdefiniowanej metody. Może to być używane do symulowania przeciążania metody lub nawet zapewnienia eleganckiej obsługi błędów, gdy niezdefiniowana metoda jest wywoływana w obiekcie. Metoda `__call()` pobiera dwa argumenty — nazwę metody oraz tablicę argumentów przekazywanych niezdefiniowanej metodzie.

Poniżej przedstawiono przykład użycia metody `__call()`:

```
<?
class Overloader
{
   function __call($method, $arguments)
   {
      echo "Wywołano metodę o nazwie {method} z następującymi
         argumentami <br/>";
      print_r($arguments);
      echo "<br/>";
   }
}
$ol = new Overloader();
$ol->access(2,3,4);
$ol->notAnyMethod("boo");
?>
```

Jak widać w powyższym kodzie, w klasie nie ma definicji metod `access` oraz `notAnyMethod`. Dlatego też próba ich wywołania powinna zakończyć się wygenerowaniem komunikatu błędu, nieprawdaż? Jednak technika przeciążania metody pomaga w sytuacji, gdy następuje wywołanie nieistniejącej metody. Po wykonaniu powyższego kodu czytelnik otrzyma następujące dane wyjściowe:

```
Wywołano metodę o nazwie access z następującymi argumentami
Array
(
    [0] => 2
```

```
        [1] => 3
        [2] => 4
)
Wywołano metodę o nazwie notAnyMethod z następującymi argumentami
Array
(
        [0] => boo
)
```

Oznacza to, że wszystkie argumenty zostały przekazane w postaci tablicy. Istnieje znacznie więcej metod magicznych, a niektóre z nich zostaną przedstawione w dalszej części książki.

Wizualne przedstawienie klasy

W programowaniu zorientowanym obiektowo czasami zachodzi potrzeba wizualnego przedstawienia klasy. Przekonajmy się więc, w jaki sposób można to zrobić. Na potrzeby tego zadania zostanie użyta klasa `Emailer` (zobacz rysunek 2.1):

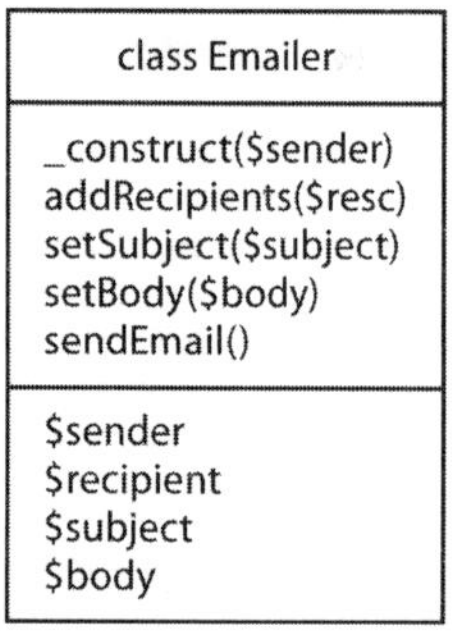

class Emailer
_construct($sender) addRecipients($resc) setSubject($subject) setBody($body) sendEmail()
$sender $recipient $subject $body

Rysunek 2.1. Wizualne przedstawienie klasy

Na pokazanym rysunku możemy wyodrębnić trzy sekcje. Na samej górze znajduje się sekcja z nazwą klasy. W środku widzimy zapisane wszystkie metody zawierające bądź nie zawierające parametry. Najniższa sekcja pokazuje wszystkie właściwości klasy. I to tyle!

Podsumowanie

W rozdziale zostały omówione zagadnienia związane z tworzeniem obiektów oraz ich wzajemnym współdziałaniem. W porównaniu do PHP 4, język PHP w wersji 5 przynosi zadziwiające usprawnienia w zakresie modelu obiektowego. Silnik Zend Engine 2 stanowiący jądro PHP 5 jest również bardzo efektywny w obsłudze tych funkcji i pozwala na doskonałą optymalizację.

W następnym rozdziale zostaną szczegółowo przedstawione podstawowe funkcje OOP dostępne w PHP. Jednak przed rozpoczęciem lektury kolejnego rozdziału naprawdę warto utrwalić wiadomości przedstawione w bieżącym, aby uniknąć zakłopotania w przypadku niektórych zagadnień. Warto więc samodzielnie poćwiczyć i spróbować przenieść tworzony wcześniej kod proceduralny na styl OOP. Im więcej czasu czytelnik poświęci na praktykę, tym bardziej efektywnym programistą zostanie.

Jeszcze więcej OOP

W poprzednim rozdziale zostały przedstawione podstawowe koncepcje pozwalające na rozpoczęcie pacy z OOP w języku PHP. Natomiast w bieżącym rozdziale zostaną bardziej szczegółowo omówione niektóre zaawansowane funkcje programowania zorientowanego obiektowo. Przykładowo, czytelnik pozna funkcje klasy pozwalające na uzyskanie szczegółowych informacji o danej klasie. Ponadto będą przedstawione użyteczne funkcje programowania zorientowanego obiektowo, jak również jedna z doskonałych nowych funkcji w PHP 5, czyli obsługa wyjątków.

W rozdziale zostanie przedstawione także używanie iteratorów znacznie ułatwiających dostęp do tablicy. Aby móc przechowywać obiekt w celu jego późniejszego użycia, trzeba wykorzystać specjalną funkcję OOP o nazwie serializacja. Również ona będzie omówiona w rozdziale. Ogólnie rzecz ujmując, rozdział powinien pomóc w utrwaleniu czytelnikowi wiadomości dotyczących OOP.

Funkcje dostarczające informacje o klasie

Jeżeli zachodzi potrzeba analizy i zebrania większej liczby informacji o dowolnej klasie, wtedy należy skorzystać z funkcji dostarczających informacji o danej klasie. Tego rodzaju funkcje potrafią pobierać niemal każdą informację dotyczącą danej klasy. Wprawdzie te funkcje są usprawnionymi wersjami dostępnych wcześniej, ale zostały wprowadzone w PHP 5 jako zupełnie nowy zestaw API, który nosi nazwę **Reflection API**. Wymienione API zostanie szczegółowo omówione w rozdziale 5.

Sprawdzanie, czy dana klasa istnieje

Kiedy zachodzi potrzeba sprawdzenia, czy dana funkcja istnieje w bieżącym zasięgu, wtedy można użyć funkcji o nazwie `class_exists()`. Spójrzmy na poniższy fragment kodu:

```
<?
include_once("../rozdzial2/class.emailer.php");
echo class_exists("Emailer");
// Wartością zwrotną jest true lub false, jeśli dana klasa nie istnieje.
?>
```

Najlepszym sposobem użycia funkcji `class_exists()` jest w pierwszej kolejności sprawdzenie, czy dana klasa jest dostępna. Następnie, gdy okazuje się, że tak, można utworzyć jej egzemplarz. Takie rozwiązanie powoduje, że kod staje się stabilniejszy:

```
<?
include_once("../rozdzial2/class.emailer.php");
if(class_exists("Emailer"))
{
    $emailer = new Emailer("hasin@pageflakes.com");
}
else
{
    die("Wymagana klasa nie została znaleziona.");
}
?>
```

Określanie aktualnie wczytanej klasy

W niektórych sytuacjach zachodzi potrzeba określenia, która klasa została wczytana w bieżącym zasięgu. Do tego celu doskonale nadaje się funkcja o nazwie `get_declared_classes()`. Wartością zwrotną wymienionej funkcji jest tablica zawierająca nazwy wszystkich aktualnie dostępnych klas.

```
<?
include_once("../rozdzial2/class.emailer.php");
print_r(get_declared_classes());
?>
```

Po uruchomieniu powyższego kodu na ekranie zostanie wyświetlona lista wszystkich aktualnie dostępnych klas.

Sprawdzanie, czy istnieją podane metody i właściwości

W celu sprawdzenia, czy w danej klasie istnieje określona metoda bądź właściwości, można wykorzystać funkcje `method_exists()` oraz `property_exists()`. Warto zapamiętać, że wymienione funkcje będą zwracały wartość `true` tylko wtedy, gdy sprawdzane właściwości i metody zostały zdefiniowane z zasięgu publicznym.

Określanie rodzaju klasy

W PHP dostępna jest funkcja is_a() pozwalająca na sprawdzanie rodzaju klasy. Spójrzmy na przykładowy fragment kodu:

```
<?
class ParentClass
{
}
class ChildClass extends ParentClass
{
}
$cc = new ChildClass();
if (is_a($cc,"ChildClass")) echo "To jest ChildClass Type Object";
echo "\n";
if  (is_a($cc,"ParentClass")) echo "To również jest ParentClass Type
Object";
?>
```

Po uruchomieniu powyższego kodu na ekranie zostaną wyświetlone następujące dane wyjściowe:

```
To jest ChildClass Type Object
To również jest ParentClass Type Object
```

Określanie nazwy klasy

W poprzednim przykładzie kod sprawdzał, czy klasa zalicza się do znanego rodzaju obiektu. Co zrobić w sytuacji, gdy trzeba będzie określić nazwę klasy? Wówczas z pomocą przychodzi funkcja o nazwie get_class():

```
<?
class ParentClass
{
}
class ChildClass extends ParentClass
{
}
$cc = new ChildClass();
echo get_class($cc)
?>
```

Dane wyjściowe powyższego fragmentu kodu to po prostu nazwa klasy, czyli ChildClass. Warto spojrzeć na poniższy przykład, który programista o nicku „brjann" umieścił w sekcji uwag użytkowników podręcznika PHP 5 jako przykład niespodziewanego zachowania.

```
<?
class ParentClass
{
```

```
    public function getClass()
    {
        echo get_class(); // Bez użycia słowa kluczowego $this.
    }
}
class Child extends ParentClass
{
}
$obj = new Child();
$obj->getClass(); // Dane wyjściowe to "ParentClass".
?>
```

Po uruchomieniu powyższego kodu wyświetlone na ekranie dane wyjściowe to po prostu `ParentClass`. Ale dlaczego? Metoda jest wywoływana dla klasy `Child`. Czy to jest takie nieoczekiwane? Szczerze mówiąc, nie. Warto dokładnie przyjrzeć się przedstawionemu powyżej fragmentowi kodu. Chociaż klasa `Child` rozszerza klasę `ParentClass`, to jednak nie nadpisuje metody `getClass()`. Dlatego też wymieniona metoda nadal działa w zasięgu klasy `ParentClass`. To jest więc powód, dla którego dane wyjściowe powyższego kodu to `ParentClass`.

Co faktycznie zachodzi w przedstawionym fragmencie kodu? Dlaczego jego dane wyjściowe to nazwa `Child`?

```
<?
class ParentClass
{
    public function getClass()
    {
        echo get_class($this); // Z użyciem słowa kluczowego "$this".
    }
}
class Child extends ParentClass
{
}
$obj = new Child();
$obj->getClass(); // Dane wyjściowe to "Child".
?>
```

W obiekcie `ParentClass` funkcja `get_class()` zwraca obiekt `$this`, który przechowuje odniesienie do klasy `Child`. To jest powód, dla którego dane wyjściowe kodu to nazwa klasy `Child`.

Obsługa wyjątków

Jedną z najbardziej usprawnionych funkcji w PHP 5 to możliwość używania wyjątków, podobnie jak w innych językach programowania zorientowanego obiektowo. W PHP 5 wprowadzono obiekty wyjątków, które ułatwiają zarządzanie i obsługę błędów.

Przekonajmy się więc, w jaki sposób następuje zgłoszenie wyjątku i jego obsługa. W przedstawionym poniżej fragmencie kodu znajduje się klasa, której zadaniem jest po prostu nawiązanie połączenia z serwerem bazy danych PostgreSQL. Jeżeli nawiązanie połączenia z serwerem się nie uda, wówczas zwykle generowany jest komunikat błędu:

```
<?
// class.db.php
class db
{
   function connect()
   {
      pg_connect("nazwa_hosta","nazwa_uzytkownika","haslo");
   }
}
$db = new db();
$db->connect();
?>
```

Dane wyjściowe po uruchomieniu powyższego kodu są następujące:

```
<b>Warning</b>: pg_connect() [<a href='function.pg-connect'>
function.pg-connect</a>]: Unable to connect to PostgreSQL
server: could not translate host name "nazwa_hosta" to address:
Unknown host in <b>C:\OOP_PHP5\Kody\rozdzial3\exception1.php</b>
on line <b>6</b><br />
```

W jaki sposób można obsłużyć tego rodzaju błąd w PHP 4? Ogólnie rzecz biorąc, trzeba napisać kod podobny do przedstawionego poniżej:

```
<?
// class.db.php
error_reporting(E_ALL - E_WARNING);
class db
{
   function connect()
   {
      if (!pg_connect("nazwa_hosta","nazwa_uzytkownika","haslo")) return false;
   }
}
$db = new db();
if (!$db->connect())
   echo "Nawiązanie połączenia z serwerem PostgreSQL zakończyło się
   niepowodzeniem.";
?>
```

Przekonajmy się, w jaki sposób można ten błąd obsłużyć za pomocą wyjątku:

```
<?
// class.db.php
error_reporting(E_ALL - E_WARNING);
```

```
class db
{
   function connect()
   {
      if (!pg_connect("host=localhost password=haslo user=nazwa_uzytkownika
         dbname=db")) throw new Exception("Nie można nawiązać połączenia
         z bazą danych.");
   }
}
$db = new db();
try {
   $db->connect();
}
catch (Exception $e)
{
   print_r($e);
}
?>
```

Otrzymane w wyniku działania powyższego kodu dane wyjściowe będą następujące:

```
Exception Object
(
   [message:protected] => Nie można nawiązać połączenia z bazą danych.
   [string:private] =>
   [code:protected] => 0
   [file:protected] => C:\OOP_PHP5\Kody\rozdzial3\exception1.php
   [line:protected] => 8
   [trace:private] => Array
      (
         [0] => Array
            (
               [file] => C:\OOP_PHP5\Kody\rozdzial3\exception1.php
               [line] => 14
               [function] => connect
               [class] => db
               [type] => ->
               [args] => Array
                  (
                  )
            )
         [1] => Array
            (
               [file] => C:\Program Files\Zend\ZendStudio-
                  5.2.0\bin\php5\dummy.php
               [line] => 1
               [args] => Array
                  (
                     [0] => C:\OOP_PHP5\Kody\rozdzial3\exception1.php
                  )
```

```
                    [function] => include
                )
            )
    )
```

W klasie wyjątku znajduje się całkiem sporo informacji. Wychwyceniem wszystkich błędów zajmuje się blok instrukcji `try–catch`. Istnieje możliwość użycia bloku `try–catch` w innym bloku instrukcji `try–catch`. Warto zapoznać się z poniższym fragmentem kodu, w którym znajdują się dwa obiekty wyjątków. Dzięki takiemu rozwiązaniu obsługa błędów nabrała bardziej czytelnej struktury.

```
<?
include_once("PGSQLConnectionException.class.php");
include_once("PGSQLQueryException.class.php");
error_reporting(0);
class DAL
{
   public $connection;
   public $result;
   public function connect($ConnectionString)
   {
      $this->connection = pg_connect($ConnectionString);
      if ($this->connection==false)
      {
         throw new PGSQLConnectionException($this->connection);
      }
   }
   public function execute($query)
   {
      $this->result = pg_query($this->connection,$query);
      if (!is_resource($this->result))
      {
         throw new PGSQLQueryException($this->connection);
      }
      // Miejsce na pozostałą część niezbędnego kodu.
   }
}
$db = new DAL();
try
{
   $db->connect("dbname=golpo user=postgres2");
   try{
      $db->execute("select * from abc");
   }
   catch (Exception $queryexception)
   {
      echo $queryexception->getMessage();
   }
}
```

```
catch(Exception $connectionexception)
{
   echo $connectionexception->getMessage();
}
?>
```

Po wprowadzonych modyfikacjach, jeżeli przedstawiony kod nie będzie mógł nawiązać połączenia z bazą danych, to powstały błąd zostanie przechwycony, a na ekranie będzie wyświetlony komunikat: `Wystąpił błąd, nie można nawiązać połączenia z serwerem PostgreSQL:`. Jeżeli nawiązanie połączenia zakończy się powodzeniem, ale problem wystąpi w zapytaniu, wówczas na ekranie zostanie wyświetlony odpowiedni komunikat. Po dokładnej analizie kodu widać, że po stwierdzeniu błędu w trakcie połączenia z bazą danych zgłaszany jest obiekt wyjątku `PGSQLConnectionException`, natomiast w przypadku problemu z zapytaniem zgłaszanym obiektem wyjątku jest `PGSQLQueryException`. Istnieje możliwość samodzielnej rozbudowy wymienionych obiektów poprzez rozszerzenie podstawowej klasy PHP 5 o nazwie `Exception`. Spójrzmy na przedstawiony poniżej kod. Pierwszy fragment to kod klasy `PGSQLConnectionException`:

```
<?
Class PGSQLConnectionException extends Exception
{
   public function __construct()
   {
      $message = "Wystąpił błąd, nie można nawiązać połączenia z serwerem
      PostgreSQL:";
      parent::__construct($message, 0000);
   }
}
?>
```

Drugi fragment to kod klasy `PGSQLQueryException`:

```
<?
Class PGSQLQueryException extends Exception
{
   public function __construct($connection)
   {
      parent::__construct(pg_last_error($connection),0);
   }
}
?>
```

I to tyle!

Zebranie wszystkich błędów PHP jako wyjątku

Jeżeli programista chce zebrać wszystkie błędy PHP (poza krytycznymi) w postaci wyjątku, to w tym celu można użyć poniższego kodu:

```
<?php
function exceptions_error_handler($severity, $message,
        $filename, $lineno)
{
   throw new ErrorException($message, 0, $severity,
      $filename, $lineno);
}
set_error_handler('exceptions_error_handler');
?>
```

Podziękowania za opracowanie powyższego kodu warto skierować do osoby kryjącej się za adresem e-mail *fjoggen@gmail*, którą autor książki odnalazł na stronach internetowego podręcznika użytkownika PHP.

Iteratory

Iterator jest nowym poleceniem wprowadzonym w PHP 5 i ma za zadanie pomóc programiście w trakcie „przechodzenia" przez dowolny obiekt. W celu zrozumienia, do czego faktycznie mogą być używane iteratory, warto przeanalizować przedstawiony poniżej fragment kodu:

```
<?
foreach($anyarray as $key=>$val)
{
   // Kod wykonujący dowolne zadania.
}
?>
```

Na obiekcie można również wykonać operację `foreach`, jak przedstawiono w poniższym fragmencie kodu:

```
<?
class EmailValidator
{
   public $emails;
   public $validemails;
}
$ev = new EmailValidator();
foreach($ev as $key=>$val)
{
   echo $key."<br/>";
}
?>
```

Po wykonaniu powyższego kodu zostaną wyświetlone następujące dane wyjściowe:

```
emails
validemails
```

Warto zwrócić uwagę, że iterator może przechodzić jedynie przez właściwości publiczne. Co zrobić w sytuacji, gdy jako dane wyjściowe ma zostać wyświetlony poprawny adres e-mail? Cóż, w języku PHP 5 rozwiązaniem może być implementacja interfejsów `Iterator` i `IteratorAggregator`. Przeanalizujemy przedstawione poniżej fragmenty kodu. W pierwszym z nich tworzona jest klasa `QueryIterator`, której zadaniem jest przejście przez poprawne dane wyjściowe zapytania bazy danych PostgreSQL i zwrot jednego wiersza wyniku w jednej iteracji.

```
<?
class QueryIterator implements Iterator
{
   private $result;
   private $connection;
   private $data;
   private $key=0;
   private $valid;
   function __construct($dbname, $user, $password)
   {
      $this->connection = pg_connect("dbname={$dbname} user={$user}");
   }
   public function exceute($query)
   {
      $this->result = pg_query($this->connection,$query);
      if (pg_num_rows($this->result)>0)
      $this->next();
   }
   public function rewind() {}
   public function current()
   {
      return $this->data;
   }
   public function key()
   {
      return $this->key;
   }
   public function next()
   {
      if ($this->data = pg_fetch_assoc($this->result))
      {
         $this->valid = true;
         $this->key+=1;
      }
      else
         $this->valid = false;
   }
   public function valid()
   {
      return $this->valid;
   }
}
?>
```

Kolejny fragment kodu pokazuje przykład użycia klasy `QueryIterator`:

```
<?
$qi= new QueryIterator("golpo","postgres2","");
$qi->exceute("select name, email from users");
while ($qi->valid())
{
    print_r($qi->current());
    $qi->next();
}
?>
```

Jeżeli w tabeli `users` będą znajdowały się dwa rekordy, to otrzymane dane wyjściowe będą prezentowały się następująco:

```
Array
(
    [name] => Afif
    [email] => mayflower@phpxperts.net
)
Array
(
    [name] => Ayesha
    [email] => florence@phpxperts.net
)
```

Całkiem przydatna klasa, nieprawdaż?

Obiekt ArrayObject

Innym użytecznym obiektem wprowadzonym w PHP 5 jest `ArrayObject`, który po prostu stanowi opakowanie zwykłej tablicy PHP i pozwala na jej użycie w stylu zgodnym z OOP. Dlatego też programista zyskuje możliwość dostępu do tablicy w stylu zgodnym z OOP. Utworzenie obiektu `ArrayObject` następuje poprzez przekazanie danych konstruktorowi `ArrayObject`. Klasa `ArrayObject` posiada następujące użyteczne metody:

append()

Ta metoda pozwala na dodawanie dowolnej wartości, która zostanie umieszczona na końcu zbioru.

getIterator()

Ta metoda po prostu tworzy obiekt `Iterator`, a następnie zwraca go, co pozwala programiście na przeprowadzanie iteracji przy użyciu stylu `Iteration`. Metoda jest więc bardzo użyteczne w celu pobierania obiektu `Iterator` z dowolnej tablicy.

offsetExists()

Za pomocą tej metody można określić, czy wskazana pozycja istnieje w zbiorze.

offsetGet()

Wartością zwrotną tej metody jest wartość określonej pozycji.

offsetSet()

Podobnie jak w przypadku metody `offsetGet()`, ta metoda pozwala na ustawienie dowolnej wartości określonemu indeksowi (`index()`).

offsetUnset()

Ta metoda po prostu usuwa element z określonego indeksu.

Poniżej przedstawiono przykład użycia obiektu `ArrayObject`:

```
<?
$users = new ArrayObject(array("hasin"=>"hasin@pageflakes.com",
   "afif"=>"mayflower@phpxperts.net",
   "ayesha"=>"florence@pageflakes.net"));
$iterator = $users->getIterator();
while ($iterator->valid())
{
   echo "{$iterator->key()} Adres e-mail to
      {$iterator->current()}\n";
      $iterator->next();
}
?>
```

Konwersja tablicy na obiekt

Dostęp do elementu tablicy można uzyskać za pomocą jego klucza, na przykład w następujący sposób: `$array[$key]`. Jednak, co zrobić w sytuacji, gdy programista chce uzyskać dostęp w stylu `$array->key`? Rozwiązanie tego problemu jest bardzo łatwe i sprowadza się do rozszerzenia klasy `ArrayObject`. Przeanalizujmy przedstawiony poniżej fragment kodu:

```
<?
class ArrayToObject extends ArrayObject
{
   public function __get($key)
   {
      return $this[$key];
```

```
    }
    public function __set($key,$val)
    {
        $this[$key] = $val;
    }
}
?>
```

Poniżej przedstawiono przykład użycia zdefiniowanej powyżej klasy `ArrayToObject`:

```
<?
$users = new ArrayToObject(array("hasin"=>"hasin@pageflakes.com",
    "afif"=>"mayflower@phpxperts.net",
    "ayesha"=>"florence@pageflakes.net"));
echo $users->afif;
?>
```

Po uruchomieniu powyższego kodu zostanie wyświetlony adres e-mail powiązany z kluczem `afif`:

```
mayflower@phpxperts.net
```

Zastosowanie powyższego rozwiązania może okazać się przydatne, gdy zachodzi potrzeba konwersji tablicy dowolnego rodzaju na postać obiektu.

Dostęp do obiektów z zastosowaniem stylu tablicy

W poprzednim podrozdziale zaprezentowano dostęp do tablicy z użyciem stylu programowania zorientowanego obiektowo. Co zrobić w sytuacji, gdy zachodzi potrzeba uzyskania dostępu do dowolnego obiektu w stylu znanym z tablicy? Generalnie, PHP oferuje taką możliwość. W tym celu klasa powinna implementować interfejs `ArrayAccess`.

Wymieniony interfejs `ArrayAccess` posiada cztery metody, które muszą zostać zaimplementowane w klasie — `offsetExists()`, `offsetGet()`, `offsetSet()` oraz `offsetUnset()`. Poniższy fragment kodu prezentuje tworzenie prostej klasy implementującej interfejs `ArrayAccess`:

```
<?php
class users implements ArrayAccess
{
    private $users;
    public function __construct()
    {
        $this->users = array();
    }
    public function offsetExists($key)
```

```
    {
        return isset($this->users[$key]);
    }
    public function offsetGet($key)
    {
        return $this->users[$key];
    }
    public function offsetSet($key, $value)
    {
        $this->users[$key] = $value;
    }
    public function offsetUnset($key)
    {
        unset($this->users[$key]);
    }
}
$users = new users();
$users['afif']="mayflower@phpxperts.net";
$users['hasin']="hasin@pageflakes.com";
$users['ayesha']="florence@phpxperts.net";
echo $users['afif']
?>
```

Danymi wyjściowymi może być adres `mayflower@phpxperts.net`.

Serializacja

Do chwili obecnej zostały omówione sposoby tworzenia obiektów oraz przeprowadzania na nich operacji. Co można jednak zrobić w sytuacji, gdy zachodzi potrzeba zachowania dowolnego stanu obiektu, aby później powrócić do niego w tej niezmienionej formie? W języku PHP rozwiązaniem takiego problemu jest proces zwany serializacją.

Wymieniona serializacja to proces zachowania stanu obiektu w dowolnej lokalizacji, zarówno w postaci plików fizycznych, jak i wartości zmiennych. Aby przywrócić stan takiego obiektu, stosowany jest kolejny proces, który nosi nazwę deserializacji. W celu przeprowadzenia serializacji dowolnego obiektu należy użyć funkcji `serialize()`. W poniższym fragmencie kodu przedstawiono przykład serializacji obiektu:

```
<?
class SampleObject
{
    public $var1;
    private $var2;
    protected $var3;
    static $var4;
    public function __construct()
```

```
    {
        $this->var1 = "Pierwsza wartość";
        $this->var2 = "Druga wartość";
        $this->var3 = "Trzecia wartość";
        SampleObject::$var4 = "Czwarta wartość";
    }
}
$so = new SampleObject();
$serializedso =serialize($so);
file_put_contents("text.txt",$serializedso);
echo $serializedso;
?>
```

Po uruchomieniu powyższego kodu zostanie utworzony ciąg tekstowy serializacji, który język PHP będzie później potrafił przywrócić, stosując deserializację.

Kolejnym krokiem jest więc przywrócenie serializowanego obiektu, czyli jego konwersja na postać obiektu PHP, który można wykorzystać. Trzeba zapamiętać, że przed przystąpieniem do deserializacji należy w pierwszej kolejności wczytać plik serializowanej klasy:

```
<?
include_once("class.sampleobject.php");
$serializedcontent = file_get_contents("text.txt");
$unserializedcontent = unserialize($serializedcontent);
print_r($unserializedcontent);
?>
```

Czy czytelnik odgadł, jakie dane wyjściowe zostaną wygenerowane przez powyższy kod? Oto one:

```
SampleObject Object
(
    [var1] => Pierwsza wartość
    [var2:private] => Druga wartość
    [var3:protected] => Trzecia wartość
)
```

Powyższy kod przedstawia więc zwykły obiekt PHP, dokładnie ten sam, który został poddany serializacji. Warto zwrócić uwagę, że wszystkie zmienne zachowały swoje wartości, które zostały im przypisane przed serializacją. Wyjątkiem jest tutaj zmienna statyczna, ponieważ w serializacji nie można zachować stanu zmiennej statycznej.

Co się stanie, jeżeli przed rozpoczęciem procesu deserializacji nie zostanie dołączy plik serializowanej klasy, na przykład za pomocą polecenia `include_once`? Aby się przekonać, należy umieścić znak komentarza przed pierwszym wierszem kodu zawierającym polecenie `include_once`, a następnie ponownie go uruchomić. Otrzymane dane wyjściowe będą przedstawiały się następująco:

```
__PHP_Incomplete_Class Object
(
    [__PHP_Incomplete_Class_Name] => SampleObject
    [var1] => Pierwsza wartość
    [var2:private] => Druga wartość
    [var3:protected] => Trzecia wartość
)
```

W takiej postaci powyższy obiekt nie może zostać ponownie użyty.

Metody magiczne w serializacji

Czytelnik prawdopodobnie pamięta, że właściwości i metody przeciążaliśmy wcześniej za pomocą kilku metod magicznych, takich jak `__get()`, `__set()` oraz `__call()`. W przypadku procesu serializacji również można zastosować niektóre metody magiczne. PHP 5 udostępnia dwie metody magiczne używane w trakcie serializacji — `__sleep()` i `__wakeup()`. Wymienione metody pozwalają programiście na pewną dozę kontroli nad całym procesem serializacji.

Zajmiemy się więc napisaniem kodu, który za pomocą metod magicznych użyje zmiennych statycznych w procesie serializacji. Takie rozwiązanie nie może obejść się bez zastosowania pewnych sztuczek. Generalnie, nie ma możliwości serializacji wartości jakiejkolwiek zmiennej statycznej i przywrócenia obiektu do takiego samego stanu z tą zmienną statyczną. Jednak stosując pewne sztuczki, można to ograniczenie pokonać. Przeanalizujmy poniższy fragment kodu:

```
<?
class SampleObject
{
    public $var1;
    private $var2;
    protected $var3;
    public static $var4;
    private $staticvars = array();
    public function __construct()
    {
        $this->var1 = "Pierwsza wartość";
        $this->var2 = "Druga wartość";
        $this->var3 = "Trzecia wartość";
        SampleObject::$var4 = "Czwarta wartość";
    }
    public function __sleep()
    {
        $vars = get_class_vars(get_class($this));
        foreach($vars as $key=>$val)
        {
            if (!empty($val))
            $this->staticvars[$key]=$val;
```

```
      }
      return array_keys( get_object_vars( $this ) );
   }
   public function __wakeup()
   {
      foreach ($this->staticvars as $key=>$val)
      {
         $prop = new ReflectionProperty(get_class($this), $key);
         $prop->setValue(get_class($this), $val);
      }
      // $this->staticvars=array();
   }
}
?>
```

Co się stanie, jeśli obiekt zostanie poddany procesowi serializacji, zapisany do pliku, a następnie przywrócony do stanu sprzed serializacji? Po użyciu powyższego kodu zmienne statyczne zachowają ostatnie przypisane im wartości.

Zatrzymajmy się na chwilę nad przedstawionym kodem. Funkcja `__sleep()` powoduje wykonanie wszystkich niezbędnych operacji. Jej zadaniem jest wyszukanie właściwości publicznych wraz z wartościami oraz przechowanie ich w zmiennej prywatnej o nazwie `staticvars`. Później, w trakcie deserializacji obiektu, każda wartość z zmiennej `staticvars` zostanie pobrana i prawidłowo przywrócona. Całkiem sprytne rozwiązanie, nieprawdaż?

Czytelnik zapewne zwróci uwagę, że kod nie stosuje sztuczek poza teoretycznymi możliwościami oferowanymi przez funkcje `__sleep()` oraz `__wakeup()`. Do czego wymienione funkcje mogą być szczególnie użyteczne? W jaki sposób można je wykorzystać praktycznie? W rzeczywistości jest to całkiem proste. Przykładowo, jeżeli klasie przypisano dowolny obiekt zasobu (taki jak aktywne połączenie z bazą danych lub odniesienie do otwartego pliku), to w funkcji `__sleep()` istnieje możliwość ich prawidłowego zamknięcia, ponieważ te zasoby nie będą użyteczne po deserializacji. Trzeba wziąć pod uwagę, że po deserializacji obiektu może wystąpić potrzeba użycia wymienionych wskaźników zasobów. Dlatego też w funkcji `__wakeup()` można nawiązać i przywrócić połączenie z bazą danych, wskaźnikiem pliku i nadać obiektowi kształt dokładnie taki, jaki miał przed serializacją. Przeanalizujmy poniższy fragment kodu:

```
<?
class ResourceObject
{
   private $resource;
   private $dsn;
   public function __construct($dsn)
   {
      $this->dsn = $dsn;
      $this->resource = pg_connect($this->dsn);
   }
   public function __sleep()
```

```
    {
        pg_close($this->resource);
        return array_keys(get_object_vars($this));
    }
    public function __wakeup()
    {
        $this->resource = pg_connect($this->dsn);
    }
}
?>
```

Przedstawiony w kodzie obiekt, gdy zostanie poddany procesowi serializacji, spowoduje zwolnienie pamięci zarezerwowanej przez zasób `$resource`. Następnie w trakcie procesu deserializacji nastąpi ponowne otwarcie połączenia z bazą danych za pomocą ciągu tekstowego DSN. Dlatego też po deserializacji otrzymujemy obiekt w dokładnie takim samym stanie, jak przed serializacją. Oto wyjaśnienie całej sztuczki!

Klonowanie obiektu

W języku PHP 5 zastosowano całkiem nowe podejście w kwestii kopiowania obiektu z jednego do drugiego, które jest zupełnie odmienne od stosowanego w PHP 4. Podczas kopiowania obiektu z jednego do drugiego w języku PHP 4 była wykonywana jego dokładna kopia. Oznacza to, że był tworzony zupełnie nowy obiekt, który zachowywał właściwości obiektu źródłowego. Jednak zmiana dowolnego elementu w kopii nie miała wpływu na obiekt źródłowy.

W języku PHP 5 zastosowano całkiem inne podejście, to znaczy podczas kopiowania jednego obiektu do drugiego stosowane jest tylko kopiowanie powierzchowne. Aby wyraźnie zobaczyć różnicę w podejściu, warto dokładnie przeanalizować poniższy kod:

```
<?
$sample1 = new StdClass();
$sample1->name = "Hasin";
$sample2 = $sample1;
$sample2->name = "Afif";
echo $sample1->name;
?>
```

Czy czytelnik jest w stanie odgadnąć, jakie będą dane wyjściowe po uruchomieniu powyższego kodu w PHP 5? Czy to będzie `Hasin` czy `Afif`? Niespodziewanie dane wyjściowe to `Afif`. Jak wspomniano wcześniej, podczas kopiowania obiektów w PHP 5 stosowane jest kopiowanie powierzchowne, dlatego też obiekt `$sample2` jest po prostu odniesieniem do obiektu `$sample1`. Z tego powodu, po przeprowadzeniu jakiejkolwiek modyfikacji obiektu `$sample1` lub `$sample2`, zmiana wpłynie na oba obiekty.

PHP w wersji 4 zachowuje się pod tym względem zupełnie odmiennie. Dane wyjściowe powyższego kodu to `Hasin` ponieważ oba obiekty są zupełnie oddzielnymi obiektami.

Jeżeli zachodzi potrzeba uzyskania tego samego efektu w PHP 5 to należy użyć słowa kluczowego `clone`. Przeanalizujmy poniższy fragment kodu:

```
<?
$sample1 = new stdClass();
$sample1->name = "Hasin";
$sample2 =clone $sample1;
$sample2->name = "Afif";
echo $sample1->name;
?>
```

Po jego wykonaniu w PHP 5 danymi wyjściowymi będzie ciąg tekstowy `Hasin`.

Automatyczne wczytywanie klas, czyli klasy na żądanie

Podczas pracy z dużymi projektami kolejnym dobrym nawykiem jest wczytywanie tylko niezbędnych w danej chwili klas. Oznacza to, że nie należy marnować cennej pamięci i zasobów na wczytywanie niepotrzebnych w danej chwili klas.

W przedstawionych dotychczas przykładach, przed udostępnieniem klasy w skrypcie, pierwszym krokiem było dołączenie pliku z definicją danej klasy. Jeżeli plik z definicją klasy nie zostanie dołączony, to nie będzie można utworzyć jej egzemplarza. W PHP 5 wprowadzono nową funkcję automatycznego wczytywania plików klas, która uwalnia programistę od konieczności ręcznego dołączania tego rodzaju plików. Zazwyczaj ta funkcja jest użyteczna w dużych programach, w których stosuje się ogromną liczbę klas. Nie trzeba wówczas nieustannie korzystać z funkcji `include()`. Spójrzmy na poniższy fragment kodu:

```
<?
function __autoload($class)
{
   include_once("class.{$class}.php");
}
$s = new Emailer("hasin@somewherein.net");
?>
```

Warto zwrócić uwagę, że w powyższym skrypcie nie został ręcznie dołączony plik klasy `Emailer`. Jednak, ponieważ użyta została funkcja `__autoload()`, to PHP 5 automatycznie wczyta plik o nazwie *class.emailer.php* z katalogu bieżącego. W ten sposób programista nie musi zajmować się ręcznym dołączaniem plików klas.

Łańcuchowe wiązanie metod

Łańcuchowe wiązanie metod to kolejny proces wprowadzony w PHP 5. Pozwala on na bezpośredni dostęp do metod i atrybutów obiektu zwracanego przez dowolną funkcję. Proces można więc przedstawić następująco:

```
$SomeObject->getObjectOne()->getObjectTwo()->callMethodOfObjectTwo();
```

Powyższy kod oznacza, że klasa `$someObject` posiada metodę o nazwie `getObjectOne()`, która zwraca obiekt o nazwie `$objectOne`. Z kolei wymieniony `$objectOne` posiada inną metodę o nazwie `getObjectTwo()` zwracający obiekt, którego metoda będzie ostatecznie wywołana.

Powstaje pytanie, w jakich sytuacjach zastosowanie takiej funkcji jest użyteczne? Przeanalizujmy poniższy fragment kodu, który przedstawia wykorzystanie w rzeczywistości łańcuchowego wiązania metod:

```
$dbManager->select("id","email")->from("user")->where("id=1")
    ->limit(1)->result();
```

Czy powyższy kod jest wystarczająco czytelny? Dane wyjściowe otrzymane po uruchomieniu powyższego kodu to tabela `user` zawierająca identyfikator i adres e-mail użytkownika, którego `ID` wynosi 1. Czy czytelnik kiedykolwiek zastanawiał się, w jaki sposób zaprojektować tego rodzaju obiekt bazy danych? Na poniższym kodzie przedstawiono doskonały przykład tego rodzaju rozwiązania:

```
<?
class DBManager
{
    private $selectables = array();
    private $table;
    private $whereClause;
    private $limit;
    public function select()
    {
        $this->selectables=func_get_args();
        return $this;
    }
    public function from($table)
    {
        $this->table = $table;
        return $this;
    }
    public function where($clause)
    {
        $this->whereClause = $clause;
        return $this;
    }
```

```
        public function limit($limit)
        {
            $this->limit = $limit;
            return $this;
        }
        public function result()
        {
            $query = "SELECT ".join(",",$this->selectables)." FROM
                {$this->table}";
            if (!empty($this->whereClause))
            $query .= " WHERE {$this->whereClause}";
            if (!empty($this->limit))
            $query .= " LIMIT {$this->limit}";
            echo "Wygenerowane zapytanie to: \n".$query;
        }
    }
    $db= new DBManager();
    $db->select("id","name")->from("users")->where("id=1")->
        limit(1)->result();
    ?>
```

Dane wyjściowe wygenerowane po uruchomieniu powyższego kodu to:

```
Wygenerowane zapytanie to:
SELECT id,name FROM users WHERE id=1 LIMIT 1
```

Klasa automatycznie zbudowała zapytanie. W jaki sposób to działa? Ogólnie rzecz biorąc, w PHP 5 istnieje możliwość zwracania obiektów. Dlatego też przedstawiona funkcja powoduje zwrot obiektu z każdej metody, która ma być częścią łańcucha metod. Wykonanie zapytania i otrzymanie danych wyjściowych (wyniku) to tylko kwestia kilku chwil. Niespodziewanie można wykorzystać także poniższy kod, który powoduje uzyskanie dokładnie takich samych wyników:

```
$db->from("users")->select("id","name")->limit(1)->where("id=1")
    ->result();
```

To jest piękno języka PHP w wersji 5 — posiada on niesamowicie duże możliwości.

Cykl życia obiektu w PHP oraz buforowanie obiektu

Podczas omawiania cyklu życia obiektu trzeba wspomnieć, że dany obiekt istnieje aż do zakończenia wykonywania skryptu. Wtedy wszystkie utworzone przez niego obiekty zostają zniszczone. W przeciwieństwie do warstwy sieciowej w języku Java, w PHP nie ma zasięgu globalnego, czyli zasięgu na poziomie programu. Z tego powodu nie można też w zwykły sposób przechowywać obiektów. Zamiast tego obiekt trzeba poddać serializacji, a następnie deserializacji, gdy zajdzie potrzeba jego późniejszego użycia. Ręczna obsługa procesów serializacji i deserializacji czasami wydaje się żmudnym zajęciem. Znacznie lepszym rozwiązaniem byłaby możliwość przechowywania obiektów w innym miejscu, a następnie pobieranie ich, gdy staną się potrzebne. (Czyli dokładnie tak samo, jak w przypadku procesów serializacji i deserializacji, ale w znacznie bardziej elastyczny sposób).

W PHP dostępne są pewne technologie buforowania obiektów, które w praktyce są bardzo wydajne. Największym uznaniem cieszy się technologia o nazwie **memcached**. Język PHP posiada rozszerzenie do API technologii memcached, które można pobrać z PECL. Memcached działa jako oddzielny serwer i buforuje obiekty bezpośrednio w pamięci. W oczekiwaniu na dane memcached sprawdza dane nadchodzące do określonego portu. API memcached w PHP potrafi komunikować się w serwerem, stąd zachowywanie i pobieranie obiektów następuje za jego pomocą. W podrozdziale zostanie przedstawiony sposób pracy z memcached, ale bez zagłębiania się w szczegóły.

Memcached można pobrać ze strony *http://danga.com/memcached*. Użytkownicy systemów Linux muszą przeprowadzić samodzielną kompilację. W przypadku niektórych dystrybucji memcached można znaleźć jako już przygotowany odpowiedni pakiet. Wersja binarna dla systemu Windows została przygotowana przez osobę kryjącą się za nickiem kronuz (*kronuz@users.↪sourceforge.net*) i jest dostępna na stronie *http://jehiah.cz/projects/memcached-win32/*. Po pobraniu wersji binarnej należy przejść do wiersza poleceń i uruchomić serwer memcached:

```
memcached -d install
```

To polecenie powoduje instalację memcached jako usługi. Uruchomienie demona lub usługi memcached następuje po wydaniu polecenia:

```
memcached -d start
```

Następnie można przystąpić do przechowywania niektórych obiektów na serwerze memcached i pobierać je, gdy zajdzie taka potrzeba:

```
<?
$memcache = new Memcache;
$memcache->connect('localhost', 11211) or die ("Nie można nawiązać
połączenia.");
$tmp_object = new stdClass;
$tmp_object->str_attr = 'test';
$tmp_object->int_attr = 12364;
$memcache->set('obj', $tmp_object, false, 60*5) or die ("Nie udało się
zapisać danych na serwerze.");
?>
```

Po uruchomieniu powyższego kodu serwer memcached będzie zapisywał obiekt `$tmp_object` z kluczem `obj` na okres pięciu minut. Po upływie tego czasu obiekt przestanie istnieć. W podanym okresie czasu można przywrócić obiekt poprzez uruchomienie poniższego kodu:

```
<?
$memcache = new Memcache;
$memcache->connect('localhost', 11211) or die ("Nie można nawiązać
połączenia.");
$newobj = $memcache->get('obj');
?>
```

I to tyle! Memcache jest tak popularny jak Perl, Python, Ruby, Java oraz Dot Net i port C.

Podsumowanie

W rozdziale zostały omówione dostępne w PHP pewne zaawansowane koncepcje programowania zorientowanego obiektowo. Czytelnik poznał więc sposoby pobierania informacji z dowolnego obiektu, poznał obiekty `ArrayAccess`, `ArrayObject`, iteratory oraz innego rodzaju obiekty, które ułatwiają pracę programisty. Kolejnym ważnym zagadnieniem poruszonym w rozdziale był temat obsługi wyjątków.

W następnym rozdziale zostaną zaprezentowane wzorce projektowe oraz sposób ich używania w PHP. W międzyczasie, owocnych ćwiczeń...

Wzorce projektowe

Projektowanie zorientowane obiektowo zostało wprowadzone przede wszystkim w celu ułatwienia procesu tworzenia oprogramowania, jak również skrócenia czasu trwania całego procesu budowania programu poprzez zmniejszenie ilości kodu, który trzeba napisać. Jeżeli projekt zostanie starannie przemyślany i zaprojektowany, to zastosowanie OOP może przyczynić się do znacznego zwiększenia wydajności programu. Jednym z magicznych elementów pozwalających na redukcję ilości kodu jest tak zwany „wzorzec projektowy", który został zapoczątkowany przez Erica Gamma i jego trzech przyjaciół w książce *Design Patterns* wydanej w roku 1972. Ponieważ autorów książki było czterech, to została wydana jako napisana przez *Bandę Czterech*. W tej legendarnej już książce Banda Czterech zaprezentowała kilka wzorców projektowych, których stosowanie prowadziło do minimalizacji ilości tworzonego kodu, jak również nauczenia się efektywnych technik programowania. W rozdziale skoncentrujemy się na implementacji niektórych wzorców projektowych w PHP.

Jak to zostało zrobione wcześniej?

W trakcie tworzenia kodu wielu programistów używa wzorców projektowych, nawet nie zdając sobie sprawy, że stosowane techniki są w rzeczywistości znane jako wzorce projektowe. Rozpoczynając programowanie, autor stosował różne techniki programowania, które w późniejszym okresie rozpoznał jako podobne do wzorców projektowych. Nie należy więc się obawiać używania wzorców projektowych. W rzeczywistości tworzą one sztuczki programistyczne, które programista mógł stosować „od zawsze", nie wiedząc nawet, skąd się wzięły.

Podczas prac nad oprogramowaniem niektóre określone zagadnienia występują niemal w każdym projekcie. Prawie każdy proces tworzenia oprogramowania musi stawić czoło tym samym problemom. Wymienione problemy noszą nazwę „wzorców projektowych" i opracowano dla nich powszechnie stosowane rozwiązania. Dlatego też, podczas prac nad oprogramowaniem, znajomość wzorców projektowych może oszczędzić programiście dużo czasu. Przyjrzyjmy się więc osławionym wzorcom projektowym.

Wzorzec Strategia

Jednym z najczęściej spotykanych problemów w trakcie programowania jest konieczność podejmowania decyzji na podstawie różnych strategii. Wzorzec Strategia jest często stosowanym wzorcem, który pomaga w podjęciu decyzji. Aby lepiej zrozumieć ten wzorzec, posłużymy się programem powiadamiającym użytkownika o pewnym zdarzeniu. Wymieniony program będzie sprawdzał opcje podane przez użytkownika. Z kolei użytkownik może chcieć być informowany na różne sposoby, na przykład za pomocą wiadomości e-mail, SMS lub faksem. Program powinien więc sprawdzić dostępne opcje kontaktu z użytkownikiem, a następnie na tej podstawie podjąć decyzję. Ten problem można łatwo rozwiązać, stosując wzorzec Strategia (zobacz rysunek 4.1).

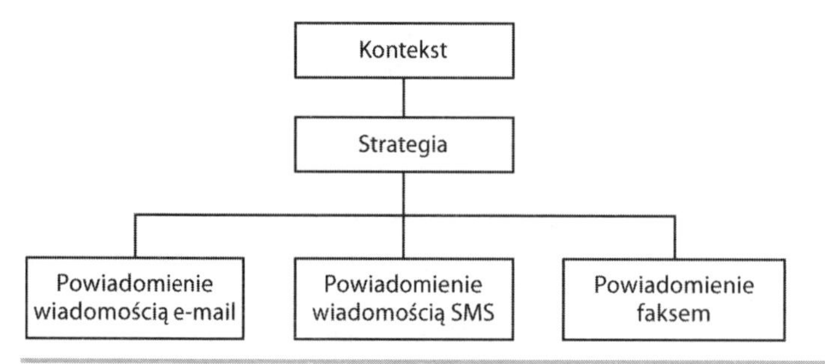

Rysunek 4.1. Wizualne przedstawienie projektu używającego wzorca Strategia

Przy zastosowaniu pokazanego powyżej wzorca projektowego w projekcie zostały użyte trzy klasy: `SMSNotifier`, `EmailNotifier` oraz `FaxNotifier`. Wszystkie wymienione klasy implementują interfejs `Notifier`, który posiada metodę o nazwie `notify`. Każda z wymienionych klas na własny sposób implementuje metodę `notify`.

Pracę rozpoczniemy więc od utworzenia interfejsu:

```
<?
// interface.Notifier.php
interface notifier
{
   public function notify();
}
?>
```

Kolejny krok to utworzenie klas odpowiadających poszczególnym rodzajom powiadomień:

Plik class.emailnotifier.php

```
<?
include_once("interface.notifier.php");
class EmailNotifier implements notifier
{
   public function notify()
   {
      // Polecenia wykonujące powiadomienie użytkownika za pomocą wiadomości e-mail.
   }
}
?>
```

Plik class.faxnotifier.php

```
<?
include_once("notifier.php");
class FaxNotifier implements notifier
{
   public function notify()
   {
      // Polecenia wykonujące powiadomienie użytkownika za pomocą faksu.
   }
}
?>
```

Plik class.smsnotifier.php

```
<?
include_once("notifier.php");
class SMSNotifier implements notifier
{
   public function notify()
   {
      // Polecenia wykonujące powiadomienie użytkownika za pomocą wiadomości sms.
   }
}
?>
```

Następnie utworzone klasy zostaną wykorzystane w kodzie programu:

```
<?
include_once("EmailNotifier.php");
include_once("FaxNotifier.php");
include_once("SMSNotifier.php");
/**
 * Kod tworzy atrapę obiektu User, który z założenia posiada metodę o nazwie
 * getNotifier(). Wartością zwrotną tej metody będzie "sms" lub "fax" lub "email".
 */
$user = new User();
$notifier = $user->getNotifier();
```

```
switch ($notifier)
{
   case "email":
      $objNotifier = new EmailNotifier();
      break;
   case "sms":
      $objNotifier = new SMSNotifier();
      break;
   case "fax":
      $objNotifier = new FaxNotifier();
   break;
}
$objNotifier->notify();
?>
```

Czytelnik zapewne przyzna, że przedstawione rozwiązanie jest bardzo proste. Autor jest również pewny, że powyższą technikę czytelnik stosował nieraz w tworzonym przez siebie kodzie.

Wzorzec Fabryka

Innym, często spotykanym wzorcem projektowym, jest wzorzec Fabryka. Głównym celem wymienionego wzorca jest dostarczenie obiektu, ukrywając przy tym stojącą za nim całą skomplikowaną strukturę. Brzmi to zapewnie dość tajemniczo, więc przekonamy się, w jaki sposób można w praktyce znaleźć zastosowanie dla tego wzorca.

Załóżmy, że tworzony jest projekt opierający się na bardzo skomplikowanym systemie. Na potrzeby tego przykładu zakładamy, że budujemy internetowe repozytorium dokumentów, które zapisuje je w tymczasowej lokalizacji. W projekcie trzeba więc wykorzystać obsługę baz danych PostgreSQL, MySQL, Oracle i SQLite, ponieważ użytkownicy mogą tworzyć aplikacje wykorzystujące dowolną z wymienionych baz danych. Zadaniem programisty jest utworzenie obiektu, który będzie nawiązywał połączenie z bazą danych MySQL i wykonywał wszystkie wymagane zadania. Obiekt bazy danych MySQL może prezentować się następująco:

```
<?
class MySQLManager
{
   public function setHost($host)
   {
      // Konfiguracja serwera bazy danych.
   }
   public function setDB($db)
   {
      // Konfiguracja nazwy bazy danych.
   }
   public function setUserName($user)
   {
      // Konfiguracja nazwy użytkownika bazy danych.
```

```
    }
    public function setPassword($pwd)
    {
        // Konfiguracja hasła bazy danych.
    }
    public function connect()
    {
        // Nawiązanie połączenia z bazą danych.
    }
}
?>
```

Powyższą klasę można następnie użyć, na przykład w taki sposób:

```
<?
$MM = new MySQLManager();
$MM->setHost("serwer");
$MM->setDB("baza_danych");
$MM->setUserName("uzytkownik");
$MM->setPassword("haslo");
$MM->connect();
?>
```

Wyraźnie widać, że przed możliwością użycia klasy należy wykonać większą liczbę zadań. Klasa obsługująca bazę danych PostgreSQL może przedstawiać się podobnie:

```
<?
class PostgreSQLManager
{
    public function setHost($host)
    {
        // Konfiguracja serwera bazy danych.
    }
    public function setDB($db)
    {
        // Konfiguracja nazwy bazy danych.
    }
    public function setUserName($user)
    {
        // Konfiguracja nazwy użytkownika bazy danych.
    }
    public function setPassword($pwd)
    {
        // Konfiguracja hasła bazy danych.
    }
    public function connect()
    {
        // Nawiązanie połączenia z bazą danych.
    }
}
?>
```

Sposób jej użycia także jest podobny:

```
<?
$PM = new PostgreSQLManager();
$MM->setHost("serwer");
$MM->setDB("baza_danych");
$MM->setUserName("uzytkownik");
$MM->setPassword("haslo");
$PM->connect();
?>
```

Jednak używanie obu klas stanie się nieco trudniejsze, gdy zostaną połączone:

```
<?
   If ($dbtype=="mysql")
   // Użycie klasy mysql.
   Else if ($dbtype=="postgresql")
   // Użycie klasy postgresql.
?>
```

Programista szybko przekona się, że im większa liczba baz danych będzie musiała być obsługiwana, tym większe zmiany trzeba będzie przeprowadzić w kodzie, a cały kod obsługi będzie musiał zawierać się w klasach podstawowych. Warto jednak pamiętać, że bardzo dobrą praktyką programowania jest stosowanie luźnych łączeń. Poniżej przedstawiono klasę `DBManager`, która będzie zajmowała się obsługą wszystkich baz danych.

```
<?
class DBManager
{
   public static function setDriver($driver)
   {
      $this->driver = $driver;
   // Konfiguracja sterownika.
   }
   public static function connect()
   {
      if ($this->driver=="mysql")
      {
         $MM = new MySQLManager();
         $MM->setHost("serwer");
         $MM->setDB("baza_danych");
         $MM->setUserName("uzytkownik");
         $MM->setPassword("haslo");
         $this->connection = $MM->connect();
      }
      else if($this->driver=="pgsql")
      {
         $PM = new PostgreSQLManager();
         $PM->setHost("serwer");
         $PM->setDB("baza_danych");
```

```
            $PM->setUserName("uzytkownik");
            $PM->setPassword("haslo");
            $this->connection= $PM->connect();
        }
    }
}
?>
```

Wizualne przedstawienie wzorca Fabryka dla omówionego projektu zostało pokazane na rysunku 4.2.

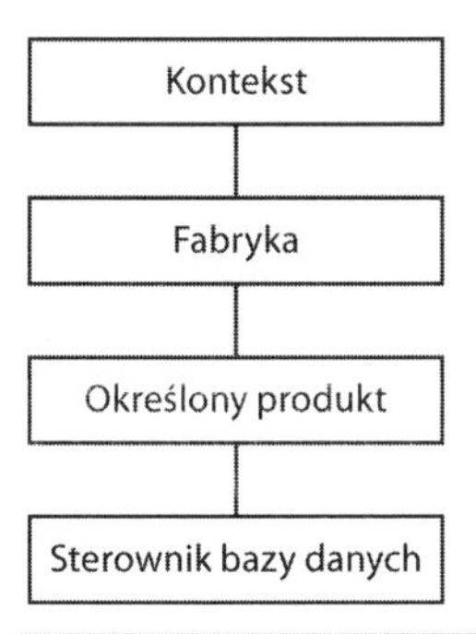

Rysunek 4.2. Przykład wizualnego przedstawienia wzorca Fabryka

Po zastosowaniu powyższego rozwiązania cały kod obsługi baz danych znajduje się w jednym miejscu, czyli w klasie `DBManager`. Dzięki zastosowaniu wzorca kod stał się znacznie prostszy niż używany wcześniej:

```
<?
$DM = new DBManager();
$DM->setDriver("mysql");
$DM->connect("serwer","uzytkownik","baza_danych","haslo");
?>
```

To jest rzeczywisty przykład użycia wzorca Fabryka. Klasa `DBManager` działa podobnie do fabryki, czyli ukrywa całą złożoność kodu stojącą za klasą i dostarcza gotowe produkty. Używanie wzorca Fabryka upraszcza programowanie poprzez ukrycie skomplikowanych elementów.

Wzorzec Fabryka abstrakcyjna

Wzorzec Fabryka abstrakcyjna jest podobny do wzorca Fabryka, a jedyna różnica polega na tym, że wszystkie obiekty muszą rozszerzać tę samą klasę abstrakcyjną. Czytelnik może zapytać, jakie korzyści płyną z takiego rozwiązania? Ogólnie rzecz biorąc, dopóki obiekty wywodzą się z klasy abstrakcyjnej, dopóty programowanie jest znacznie łatwiejsze, ponieważ wszystkie obiekty stosują ten sam standard.

Powróćmy do poprzedniego przykładu. W pierwszej kolejności zostanie utworzona klasa abstrakcyjna, a następnie będzie rozszerzona w celu utworzenia wszystkich pozostałych klas sterownika baz danych.

```
<?
abstract class DBDriver
{
   public function connect();
   public function executeQuery();
   public function insert_id();
   public function setHost($host)
   {
      // Konfiguracja serwera bazy danych.
   }
   public function setDB($db)
   {
      // Konfiguracja nazwy bazy danych.
   }
   public function setUserName($user)
   {
      // Konfiguracja nazwy użytkownika bazy danych.
   }
   public function setPassword($pwd)
   {
      // Konfiguracja hasła bazy danych.
   }
   // .....
}
?>
```

Następnie klasa obsługująca bazę danych MySQL wywodzi się z przedstawionej powyżej klasy abstrakcyjnej:

```
<?
class MySQLManager extends DBDriver
{
   public function connect()
   {
      // Implementacja własnych funkcji połączenia.
   }
   public function executeQuery()
   {
      // Wykonanie zapytania MySQL i zwrócenie wyników.
   }
   public function insertId()
   {
      // Odszukanie identyfikatora ostatniego dodanego rekordu.
   }
}
?>
```

Wizualne przedstawienie wzorca Fabryka abstrakcyjna dla omówionego projektu zostało pokazane na rysunku 4.3.

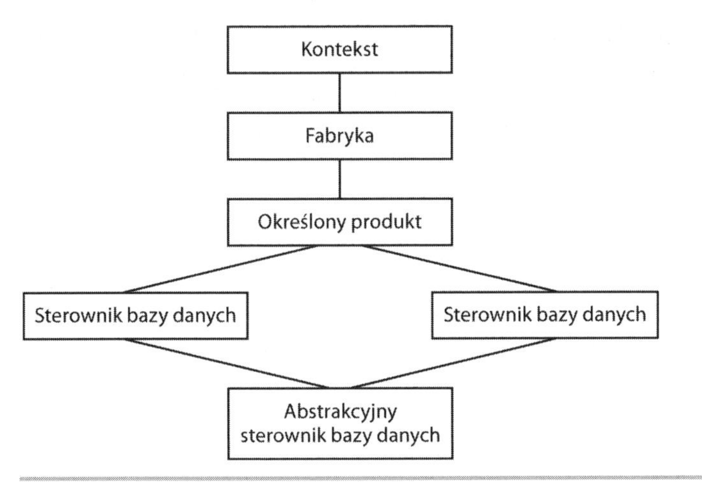

Rysunek 4.3. Przykład wizualnego przedstawienia wzorca Fabryka abstrakcyjna

Następnie klasa `MySQLManager` będzie używana w zwykły sposób, podobnie jak klasa `DBManager`. Podstawową zaletą takiego rozwiązania jest zdefiniowanie w jednym miejscu wszystkich niezbędnych funkcji. Ponadto, wszystkie klasy wywodzące się z klasy abstrakcyjnej będą stosowały dokładnie ten sam standard. Istnieje również możliwość hermetyzacji w klasie abstrakcyjnej najczęściej stosowanych funkcji.

Wzorzec Adapter

Kolejny interesujący problem w OOP jest rozwiązywany poprzez użycie wzorca projektowego o nazwie Adapter. Czym jest więc wzorzec projektowy Adapter i jakiego rodzaju problemy pomaga rozwiązać?

Adapter jest w rzeczywistości obiektem, który działa na zasadzie adaptera znanego z życia codziennego, czyli po prostu konwertuje jeden element na drugi. Za pomocą adaptera można skonwertować napięcie prądu elektrycznego z niższego na wyższe. Podobnie w OOP, używając wzorca projektowego Adapter, jeden obiekt może dopasować się do metod innego obiektu.

Przeanalizujmy dokładniej wykorzystanie w życiu codziennym wzorców projektowych. Zakładamy, że tworzymy internetowe repozytorium, którego zadaniem jest eksportowanie zapisanych dokumentów do popularnych usług oferujących możliwość przechowywania danych. Programista utworzył już jeden element opakowujący, który przechowuje i pobiera dokumenty z usługi Writely, używając jego rodzimego API. Wkrótce po przejęciu Writely przez firmę Google programista stwierdza, że usługa jest niedostępna i należy używać Google Docs jako podstawę repozytorium. Co można zrobić w takiej sytuacji? Istnieją wprawdzie rozwiązania typu open source działające z usługą Google Docs, ale okazuje się, że metody używane przez Google Docs różnią się od stosowanych przez obiekt Writely.

Opisany scenariusz jest często spotykany w życiu i zdarza się, gdy klasy zostały opracowane przez różnych programistów. Wprawdzie chcielibyśmy używać obiektu Google Docs, ale nie chcemy modyfikować jego kodu, gdyż wymaga to wprowadzenia ogromnej liczby zmian. Poza tym pozostaje obawa, że kod może przestać działać, jeśli Google dokona modyfikacji w kodzie podstawowym.

W takiej sytuacji z pomocą przychodzi wzorzec projektowy Adapter. Programista może opracować interfejs, który będzie implementowany przez obiekt Writely. Następnie trzeba będzie napisać kolejną klasę opakowującą, która zaimplementuje ten sam interfejs zaimplementowany przez Google Docs. Powstaje pytanie, jaką rolę będzie pełniła wymieniona klasa opakowująca? Odpowiedź jest prosta, jej zadaniem będzie opakowanie wszystkich metod klasy Google Docs w te, które są dostępne w interfejsie. Po udanym opakowaniu wszystkiego opakowany obiekt będzie można użyć we własnym kodzie. Być może trzeba będzie zmodyfikować kilka wierszy, ale reszta kodu podstawowego pozostanie bez zmian.

Dzięki wymienionym możliwościom korzystanie z wzorca Adapter jest tak użyteczne. Programista może pozostawić nietknięty kod podstawowy nawet wtedy, gdy zmianie ulegną opracowane przez firmy trzecie elementy zależne danego kodu lub jego zewnętrzne API. Wizualne przedstawienie wzorca projektowego Adapter pokazano na rysunku 4.4.

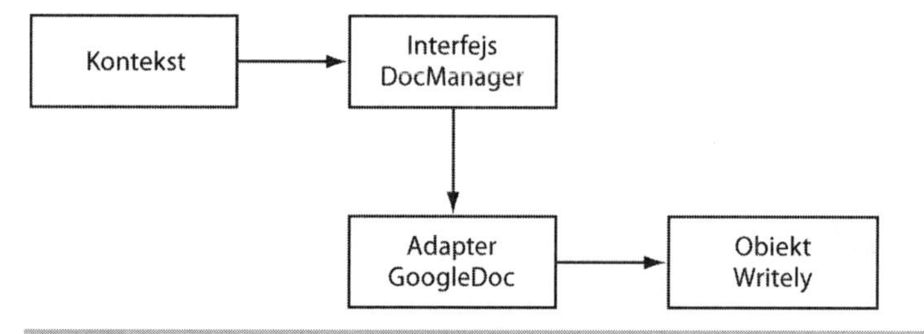

Rysunek 4.4. Przykład użycia wzorca projektowego Adapter w omówionym powyżej projekcie

Poniżej przedstawiono pierwszą wersję kodu obiektu Writely:

```
<?
class Writely implements DocManager()
{
   public function authenticate($user, $pwd)
   {
      // Uwierzytelnienie z użyciem schematu uwierzytelniania Writely.
   }
   public function getDocuments($folderid)
   {
      // Pobranie dokumentów dostępnych w katalogu.
   }
   public function getDocumentsByType($folderid, $type)
   {
```

```
        // Pobranie z katalogu określonego rodzaju dokumentów.
    }
    public function getFolders($folderid=null)
    {
        // Pobranie wszystkich podkatalogów określonego katalogu.
    }
    public function saveDocuments($document)
    {
        // Zapisanie dokumentu.
    }
}
?>
```

Poniżej przedstawiono interfejs DocManager:

```
<?
interface DocManager
{
    public function authenticate($user, $pwd);
    public function getDocuments($folderid);
    public function getDocumentsByType($folderid, $type);
    public function getFolders($folderid=null);
    public function saveDocument($document);
}
?>
```

Po zastosowaniu opisanego wcześniej rozwiązania obiekt GoogleDocs przedstawia się następująco:

```
<?
class GoogleDocs
{
    public function authenticateByClientLogin()
    {
        // Uwierzytelnienie z użyciem schematu uwierzytelniania Writely.
    }
    public function setUser()
    {
        // Ustawienie użytkownika.
    }
    public function setPassword()
    {
        // Ustawienie hasła.
    }
    public function getAllDocuments()
    {
        // Pobranie dokumentów dostępnych w katalogu.
    }
    public function getRecentDocuments()
    {

    }
```

```
    public function getDocument()
    {
    }
}
?>
```

W jaki sposób został on dopasowany do istniejącego kodu utworzonego przez programistę?

Aby dopasować powyższy obiekt do istniejącego kodu, trzeba utworzyć obiekt opakowujący, który będzie implementował ten sam interfejs `DocManager`, ale do wykonywania zadań będzie w rzeczywistości używał obiektu `GoogleDocs`.

```
<?php
Class GoogleDocsAdapter implements DocManager
{
    private $GD;
    public function __construct()
    {
        $this->GD = new GoogleDocs();
    }
    public function authenticate($user, $pwd)
    {
        $this->GD->setUser($user);
        $this->GD->setPwd($pwd);
        $this->GD->authenticateByClientLogin();
    }
    public function getDocuments($folderid)
    {
        return $this->GD->getAllDocuments();
    }
    public function getDocumentsByType($folderid, $type)
    {
        // Pobranie dokumentów za pomocą obiektu GoogleDocs oraz zwrot jedynie
        // rodzaju, do którego te dokumenty zostały dopasowane.
    }
    public function getFolders($folderid=null)
    {
        // Na przykład, ponieważ w GoogleDocs nie znaleziono żadnego katalogu,
        // to nie zostaną zwrócone żadne dokumenty.
    }
    public function saveDocument($document)
    {
        // Zapisanie dokumentu za pomocą obiektu GoogleDocs.
    }
}
?>
```

Kolejny krok to utworzenie egzemplarza klasy `GoogleDocsAdapter` i użycie go we własnym kodzie. Ponieważ wymieniona klasa implementuje dokładnie ten sam interfejs, to nie zachodzi konieczność modyfikacji kodu podstawowego.

Jednak warto jeszcze pamiętać o jednej kwestii: co się dzieje z brakującymi funkcjami? Przykładowo, obiekt `WritelyDocs` obsługiwał metodę `getFolders()`, która nie jest używana w obiekcie `GoogleDocs`. Tego rodzaju metody należy zaimplementować z zachowaniem większej ostrożności. Na przykład, jeżeli kod tworzony przez programistę wymaga identyfikatora katalogu zwracanego przez wymienioną metodę, to w obiekcie `GoogleDocsAdapter` można wygenerować losową wartość identyfikatora katalogu, a następnie ją zwrócić. (Tego rodzaju rozwiązanie jest możliwe, ponieważ `GoogleDocsAdapter` i tak nie używa tej wartości). Ogólnie rzecz biorąc, po zastosowaniu tego rodzaju rozwiązania kod tworzony przez programistę będzie działał poprawnie.

Wzorzec Singleton

Jednym z najczęściej używanych wzorców projektowych jest Singleton. Ten wzorzec pomaga w rozwiązaniu wielu poważnych problemów występujących w programowaniu zorientowanym obiektowo oraz ułatwia prace milionom programistów.

Głównym zadaniem wzorca Singleton jest dostarczenie pojedynczego obiektu, niezależnie od liczby tworzonych jego egzemplarzy. Oznacza to, że po utworzeniu egzemplarza obiektu, przy użyciu wzorca Singleton, utworzony egzemplarz można stosować za każdym razem, gdy obiekt będzie potrzebny w kodzie. W ten sposób oszczędza się cenną pamięć poprzez uniemożliwienie tworzenia wielu egzemplarzy tego samego obiektu. Wzorzec Singleton jest więc stosowany w celu poprawienia wydajności tworzonego programu. Wizualne przedstawienie wzorca projektowego Singleton pokazano na rysunku 4.5.

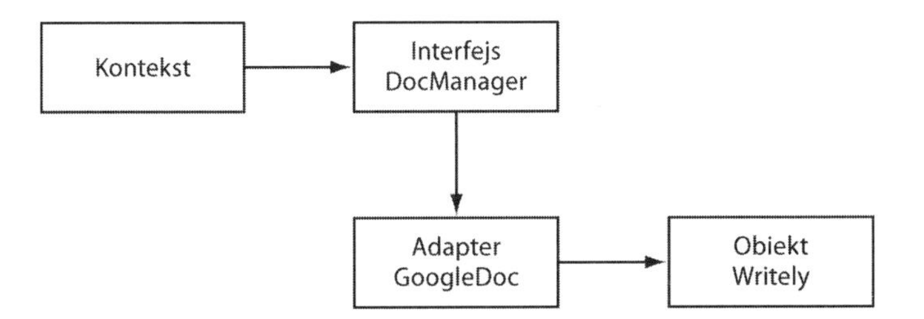

Rysunek 4.5. Przykład użycia wzorca projektowego Singleton w omówionym powyżej projekcie

Rozpoczniemy od utworzenia klasy `MySQLManager`, która była już wykorzystana we wcześniejszym przykładzie. Przy użyciu wzorca Singleton klasie zostanie dodana funkcja pozwalająca na utworzenie tylko jednego jej egzemplarza.

```
<?
class MySQLManager
{
   private static $instance;
   public function __construct()
   {
```

```
        if (!self::$instance)
        {
            self::$instance = $this;
            echo "Nowy egzemplarz\n";
            return self::$instance;
        }
        else
        {
            echo "Stary egzemplarz\n";
            return self::$instance;
        }
    }
// Pozostałe metody pozostają bez zmian.
}
?>
```

Kolejny krok to sprawdzenie w rzeczywistości, jak działa ta funkcja. Po wykonaniu przedstawionego poniżej fragmentu kodu czytelnik powinien być zaskoczony otrzymanymi danymi wyjściowymi.

```
<?
$a = new MYSQLManager();
$b = new MYSQLManager();
$c = new MYSQLManager();
$d = new MYSQLManager();
$e = new MYSQLManager();
?>
```

Dane wyjściowe są następujące:

```
Nowy egzemplarz
Stary egzemplarz
Stary egzemplarz
Stary egzemplarz
Stary egzemplarz
```

Niesamowite, nieprawdaż? Klasa `MySQLManager` tworzy tylko jeden egzemplarz obiektu po jej wywołaniu, a następnie używa tego samego egzemplarza zamiast tworzyć kolejne. Zobaczmy, w jaki sposób został uzyskany ten efekt:

```
private static $instance;
```

Klasa posiada zmienną statyczną o nazwie `$instance`. W konstruktorze następuje sprawdzenie, czy wymieniona zmienna posiada jakąkolwiek wartość. Jeżeli jest pusta, wtedy zostaje utworzony egzemplarz obiektu i przypisany tej zmiennej statycznej. Ponieważ zmienna jest statyczna, pozostaje więc dostępna aż do zakończenia wykonywania danego skryptu.

Powróćmy jeszcze na chwilę do konstruktora klasy. W trakcie drugiego wywołania klasy następuje sprawdzenie, czy zmienna `$instance` zawiera jakąkolwiek wartość. Po sprawdzeniu okazuje się, że zmienna $instance w rzeczywistości zawiera egzemplarz bieżącego obiektu oraz istnieje nadal, ponieważ zmienna jest statyczna. Dlatego też w drugim wywołaniu klasy wartością zwrotną jest egzemplarz bieżącego obiektu, który został utworzony w pierwszym wywołaniu.

Singleton to bardzo ważny wzorzec projektowy i warto, aby czytelnik dokładnie zrozumiał zasadę jego działania. Dzięki prawidłowemu zastosowaniu wymienionego wzorca projektowego można zoptymalizować program i znacznie zwiększyć jego wydajność.

Wzorzec Iterator

Iterator jest często stosowanym wzorcem, który znacznie ułatwia operacje na zbiorze danych. Niemalże każdy język programowania posiada wbudowaną obsługę iteratorów. W PHP 5 również został wbudowany obiekt o nazwie `Iterator`. Wymienione iteratory są bardzo użyteczne podczas dostarczania łatwego interfejsu służącego do wykonywania operacji na kolejnych elementach zbioru danych.

Przeanalizujmy sytuację, w której wzorzec projektowy Iterator może uprościć pracę programisty nad skomplikowanym programem. Załóżmy, że tworzony jest blog, w którym użytkownicy będą codziennie zamieszczać własne wpisy. W jaki sposób można więc wyświetlić oddzielne posty jeden po drugim?

W poniższym fragmencie kodu pobierane są wszystkie wartości `post_id` utworzone przez danego autora, a następnie kod jest wykorzystywany w celu prawidłowego wyświetlenia szablonu:

```
<?
$posts = getAllPosts(); // Przykład funkcji, która zwraca wszystkie identyfikatory
   // postów utworzonych przez danego autora.
for($i = 0; $i<count($posts); $i++)
{
   $title = getPostTitle($post[$i]);
   echo $title;
   $author = getPostAuthor($post[$i]);
   $content = parseBBCode(getPostContent($post[$i]));
   echo "Treść";
   $comments = getAllComments($post[$i]);
   for ($j=0; $j<count($comments); $j++)
   {
      $commentAuthor = getCommentAuthor($comments[$j]);
      echo $commentAuthor;
      $comment = getCommentContent($comments[$j]);
      echo $comment;
   }
}
?>
```

W powyższym fragmencie kodu wszystkie operacje są przeprowadzane w szablonie — pobranie wszystkich identyfikatorów postów, pobranie autorów, komentarzy, treści oraz wyświetlenie danych. W szablonie jest nawet pobierana lista komentarzy. Cały kod jest jednak zbyt niejasny w odczycie i zarządzaniu oraz może ulec awarii podczas wprowadzania kolejnych modyfikacji. Jednak po przekształceniu komentarzy na zbiór obiektów komentarzy danego postu, a także wszystkich postów na zbiór obiektów postów w celu łatwiejszego dostępu zostaną usunięte ograniczenia projektu szablonu, a kod stanie się łatwiejszy w zarządzaniu.

Modyfikację rozpoczniemy od implementacji wzorca projektowego Iterator dla komentarzy i postów, aby przekonać się, jak bardzo wzrosła efektywność i czytelność kodu. Po wprowadzeniu tej zmiany kod będzie można porównać do poezji.

Aby w języku PHP 5 efektywnie używać iteratorów, można utworzyć interfejs `Iterator`. Kod wymienionego interfejsu został przedstawiony poniżej:

```
<?
interface Iterator
{
   function rewind();
   function current();
   function key();
   function next();
   function valid();
}
?>
```

Funkcja `rewind()` interfejsu `Iterator` powoduje ustawienie indeksu na początku zbioru. Zadaniem funkcji `current()` jest zwrócenie bieżącego indeksu, natomiast funkcji `key()` zwrócenie bieżącego klucza. Z kolei funkcja `next()` zwraca wartość `true`, jeśli w bieżącym wykonaniu pętli znajduje się więcej obiektów. W przeciwnym razie wartością zwrotną jest `false`. Funkcja `valid()` zwraca bieżący obiekt, jeżeli posiada on jakąkolwiek wartość. Przystępujemy więc do utworzenia iteratora dla obiektu postów.

Utworzymy funkcję `getAllPosts()`, której zadaniem będzie zwrócenie wszystkich postów z bazy danych. Posty będą zwrócone w postaci obiektu `Post` posiadającego metody, takie jak: `getAuthor()`, `getTitle()`, `getDate()`, `getComments()`, itd. Przystępujemy więc do utworzenia iteratora:

```
<?php
class Posts implements Iterator
{
   private $posts = array();
   public function __construct($posts)
   {
      if (is_array($posts)) {
         $this->posts = $posts;
      }
   }
```

```
        public function rewind() {
            reset($this->posts);
        }
        public function current() {
            return current($this->posts);
        }
        public function key() {
            return key($this->var);
        }
        public function next() {
            return next($this->var);
        }
        public function valid() {
            return ($this->current() !== false);
        }
    }
    ?>
```

Po utworzeniu iteratora można go użyć w kodzie:

```
    <?
    $blogposts = getAllPosts();
    $posts = new Posts($posts);
    foreach ($posts as $post)
    {
        echo $post->getTitle();
        echo $post->getAuthor();
        echo $post->getDate();
        echo $post->getContent();
        $comments = new Comments($post->getComments());
        // Dla komentarzy będzie inny iterator, kod pozostanie taki sam jak dla postów.
        foreach ($comments as $comment)
        {
            echo $comment->getAuthor();
            echo $comment->getContent();
        }
    }
    ?>
```

Po wprowadzonych zmianach kod stał się bardziej czytelny i łatwiejszy w obsłudze.

W tablicy PHP obiekty domyślnie implementują interfejs `Iterator`. Programista może oczywiście zaimplementować go samodzielnie, dodając wiele innych funkcji, które mogą ułatwić pracę nad danym projektem.

Wzorzec Obserwator

Czytelnik być może zadaje sobie pytanie, w jaki sposób zdarzenia faktycznie działają i jak są wywoływane? Ogólnie rzecz biorąc, po poznaniu wzorca Obserwator programista będzie mógł bardzo łatwo tworzyć programy działające na podstawie zdarzeń.

Wzorzec Obserwator pomaga w rozwiązaniu często spotykanego problemu w OOP. Przykładowo, co zrobić w sytuacji, jeżeli określone obiekty mają być automatycznie informowane o pewnym zdarzeniu (czyli wywołaniu zdarzenia)? Rozwiązaniem w takiej sytuacji jest użycie odpowiedniego wzorca projektowego. Przyjrzyjmy się bliżej temu rozwiązaniu.

Wzorzec Obserwator składa się z dwóch rodzajów obiektów. Pierwszy to obiekt obserwowany. Natomiast drugi to obiekt `observer`, który obserwuje pierwszy wymieniony obiekt. Kiedy stan obiektu obserwowanego ulegnie zmianie, to wszyscy obserwatorzy zostaną o tym fakcie poinformowani.

Gdzie takie rozwiązanie może znaleźć swoje zastosowanie? W rzeczywistości jest stosowane wszędzie. Można w tym miejscu wspomnieć o programie typu dziennik zdarzeń, który na różne sposoby zapisuje wygenerowane błędy. Dobrym przykładem jest też komunikator, który wyświetla informację o otrzymanej wiadomości. Także forum internetowe jest dobrym przykładem, ponieważ może automatycznie wyświetlać nowe posty. Generalnie, można wymienić jeszcze tysiące przykładów, w których stosuje się wzorzec Obserwator. Przystąpmy więc do przykładowej implementacji tego wzorca. Wizualne przedstawienie przykładowego wzorca projektowego Obserwator zostało pokazane na rysunku 4.6.

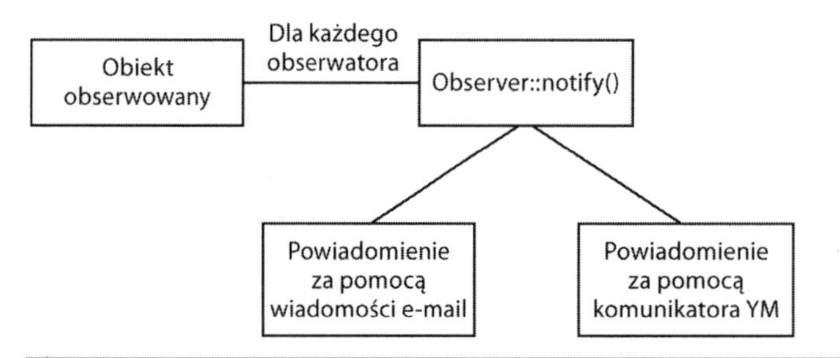

Rysunek 4.6. Przykład użycia wzorca projektowego Obserwator w projekcie programistycznym

Wszystkie obiekty `observer` implementują interfejs `Observer` przedstawiony w poniższym fragmencie kodu:

```
<?
interface Observer
{
   public function notify();
}
?>
```

Teraz pora na utworzenie kilku obiektów observer, które będą informowały o zmianie stanu obserwowanego obiektu:

```
<?
class YMNotifier implements observer
{
   public function notify()
   {
      // Kod wysyłający komunikat za pomocą YM.
      echo "Powiadomienie za pomocą YM.\n";
   }
};
?>
```

Kolejny kod powiadamiający:

```
<?
class EmailNotifier implements observer
{
   public function notify()
   {
      // Kod wysyłający komunikat za pomocą wiadomości e-mail.
      echo "Powiadomienie za pomocą wiadomości e-mail.\n";
   }
};
?>
```

Trzeba również utworzyć obiekt observer:

```
<?
class observable
{
   private $observers = array();
   public function register($object)
   {
      if ($object instanceof observer )
      $this->observers[] =$object;
      else
      echo "Obiekt musi implementować interfejs Observer.\n";
   }
   public function stateChange()
   {
      foreach ($this->observers as $observer)
      {
         $observer->notify();
      }
   }
}
?>
```

Kolejny krok to użycie obiektu we własnym kodzie:

```
<?
$postmonitor = new observable();
$ym = new YMNotifier();
$em = new EmailNotifier();
$s= new stdClass();
$postmonitor->register($ym);
$postmonitor->register($em);
$postmonitor->register($s);
$postmonitor->stateChange();
?>
```

Dane wyjściowe powyższego fragmentu kodu są następujące:

```
Obiekt musi implementować interfejs Observer.
Powiadomienie za pomocą YM.
Powiadomienie za pomocą wiadomości e-mail.
```

Wzorzec Proxy, czyli mechanizm Lazy Loading

Kolejną ważną praktyką programistyczną w OOP jest mechanizm Lazy Loading oraz luźne połączenia. Ich głównym celem jest zmniejszenie zależności występujących między obiektami podczas programowania. Czytelnik może zapytać, jaka może być zaleta takiego stylu programowania? Na takie pytanie jest jedna prosta odpowiedź — dzięki zastosowaniu tego stylu zawsze ulega zwiększeniu poziom przenośności kodu.

Przy użyciu wzorca Proxy można utworzyć lokalną wersję zdalnego obiektu. Wzorzec zapewnia powszechnie stosowane API służące do uzyskania dostępu do metod zdalnego obiektu bez konieczności dokładnego poznania wewnętrznego kodu tego obiektu. Najlepszym przykładem wzorca Proxy może być klient i serwer XML RPC i SOAP dla PHP.

Warto zapoznać się z przedstawionym poniżej kodem. W przykładzie tworzymy klasę, która może uzyskać dostęp do dowolnej metody zdalnego obiektu. Wymienione metody zdalnego obiektu są po prostu udostępnione poprzez serwer XML RPC, a następnie dostępne za pomocą klientów XML RPC. Wizualne przedstawienie wzorca Proxy omawianego rozwiązania pokazano na rysunku 4.7.

Jeżeli czytelnik zastanawia się, w jaki sposób takie rozwiązanie działa, to warto pamiętać, że niemal każdy silnik blogu obsługuje trzy popularne API blogów, na przykład Blogger, MetaWebLog i MovableType. Dzięki użyciu tych metod można zdalnie zarządzać własnym blogiem. To, które metody są obsługiwane, zależy tylko od danego silnika blogu.

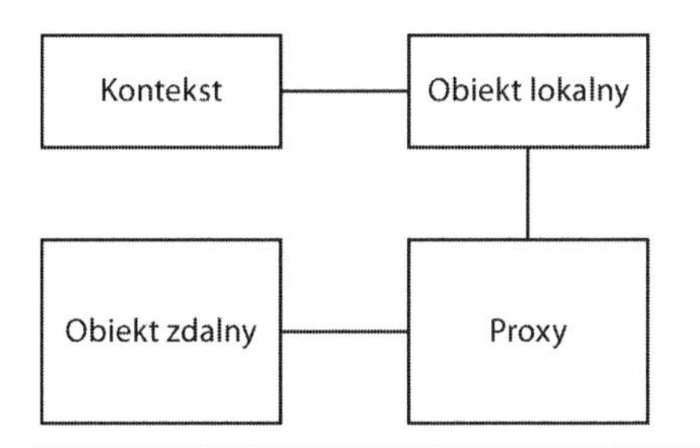

Rysunek 4.7. Przykład użycia wzorca projektowego Proxy w projekcie programistycznym

Do utworzenia prostych obiektów serwera i klienta zostanie wykorzystana biblioteka Incutio PHP XML-RPC. W pierwszej kolejności zajmiemy się tworzeniem serwera. Bibliotekę XML--RPC można pobrać ze strony: *http://scripts.incutio.com/xmlrpc/IXR_Library.inc.php.txt*.

Poniżej przedstawiono kod serwera czasu pobierającego wartość czasu Greenwich Mean Time (GMT):

```
<?php
include('IXR_Library.inc.php');
function gmtTime()
{
   return gmdate("F, d Y H:i:s");
}
$server = new IXR_Server(array(
   'time.getGMTTime' => 'gmtTime',
));
?>
```

Kod jest bardzo prosty. Utworzona została metoda, która następnie jest mapowana do serwera XML RPC. Kolejnym krokiem jest utworzenie kodu klientów:

```
<?
include('IXR_Library.inc.php');
$client = new IXR_Client('http://localhost/proxy/server.php');
if (!$client->query('time.getGMTTime'))
{
   die('Wystąpił błąd - '.$client->getErrorCode().' :
      '.$client->getErrorMessage());
}
echo ($client->getResponse());
?>
```

Jeżeli kod serwera zostanie umieszczony na serwerze WWW (w przedstawionym przykładzie to `localhost`) w podkatalogu o nazwie *proxy* katalogu głównego, to po uzyskaniu do niego dostępu z poziomu klienta zostaną wyświetlone następujące dane wyjściowe:

```
March, 28 2007 16:13:20
```

I to tyle! W taki sposób działa wzorzec Proxy, który oferuje interfejs pozwalający w programie lokalnym na dostęp do zdalnych obiektów.

Wzorzec Dekorator

W sławnej książce Bandy Czterech wzorzec Dekorator jest bardzo ważnym podejściem pomocnym podczas rozwiązywania problemów. Przy użyciu wymienionego wzorca można istniejącym obiektom dodać dodatkowe funkcje bez konieczności rozszerzania obiektów. W tym miejscu może zrodzić się pytanie, jakie korzyści płyną z dodawania kolejnych funkcji bez zastosowania dziedziczenia?

Najogólniej rzecz ujmując, korzyści jest kilka. W celu rozszerzenia obiektu czasami trzeba znać wewnętrzne szczegóły dotyczące rozszerzanej klasy. W niektórych sytuacjach rozszerzenie klasy jest wręcz niemożliwe bez konieczności ponownego napisania istniejących funkcji. Jeżeli taka sama funkcja ma zostać dodana do wielu rodzajów obiektów, to znacznie lepszym rozwiązaniem jest zastosowanie wzorca Dekorator zamiast rozszerzania poszczególnych obiektów. W przeciwnym razie obsługa kodu może stać się prawdziwym koszmarem. Wizualne przedstawienie wzorca Dekorator pokazano na rysunku 4.8.

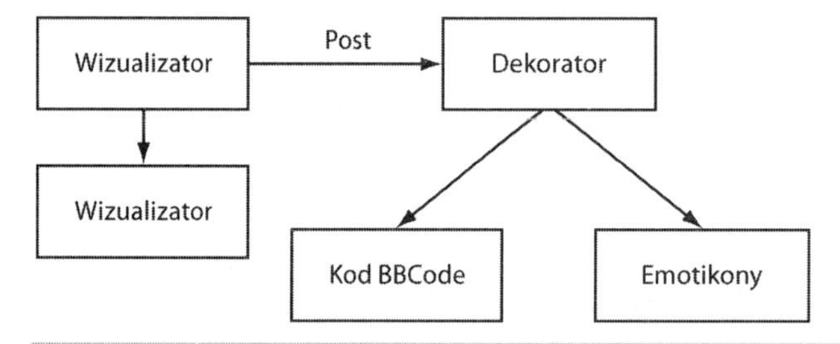

Rysunek 4.8. Przykład zastosowania wzorca projektowego Dekorator w projekcie programistycznym

Prześledźmy stosowanie wzorca Dekorator na często spotykanym przykładzie. Zakładamy, że tworzone jest forum, w którym wszystkie posty i komentarze są oddzielnymi obiektami postów i komentarzy. W takiej sytuacji oba rodzaje obiektów posiadają wspólną metodę `getContents()` zwracającą przefiltrowaną treść postu bądź komentarza.

Następnie menedżer programisty prosi, aby w postach i komentarzach umożliwić stosowanie emotikonów (buźki) oraz kodu BBCode. Kod podstawowy programu jest tak skomplikowany, że programista nie chce ponownie mieć z nim do czynienia. Rozwiązaniem jest użycie wzorca Dekorator.

W pierwszej kolejności zapoznamy się z kodem obiektów `Post` i `Comment`.

```
<?
class Post
{
```

```
    private $title;
    private $content;
    // Miejsce na właściwości dodatkowe.
    public function filter()
    {
        // Miejsce na kod przetwarzający dane.
        $this->content = $filtered_content;
        $this->title = $filtered_title;
    }
    public function getContent()
    {
        return $this->content;
    }
    // Miejsce na metody dodatkowe.
}
?>
<?
class Comment
{
    private $date;
    private $content;
    // Miejsce na właściwości dodatkowe.
    public function filter()
    {
        // Miejsce na kod przetwarzający dane.
        $this->content = $filtered_content;
    }
    public function getContent()
    {
        return $this->content;
    }
    // Miejsce na metody dodatkowe.
}
?>
```

Kolejny krok to utworzenie dwóch obiektów `Decorator`, które będą przetwarzały odpowiednio kod BBCode oraz emotikony (buźki):

```
<?
class BBCodeParser
{
    private $post;
    public function __construct($object)
    {
        $this->post = $object;
    }
    public function getContent()
    {
        // Przetwarzanie kodu BBCode.
```

```
        $post->filter();
        $content = $this->parseBBCode($post->getContent());
        return $content;
    }
    private function parseBBCode($content)
    {
        // Przetwarzanie kodu BBCode w treści oraz zwrot treści.
    }
}
?>
```

Poniżej przedstawiono kod przetwarzający emotikony:

```
<?
class EmoticonParser
{
    private $post;
    public function __construct($object)
    {
        $this->post = $object;
    }
    public function getContent()
    {
        // Przetwarzanie kodu BBCode.
        $post->filter();
        $content = $this->parseEmoticon($post->getContent());
        return $content;
    }
    private function parseEmoticon($content)
    {
        // Przetwarzanie kodu emotikonów w treści oraz zwrot treści.
    }
}
?>
```

Zaprezentowane obiekty `Decorator` po prostu dodają funkcje przetwarzające kod BBCode i emotikony do istniejących obiektów bez konieczności ich modyfikacji.

Sposób użycia utworzonych obiektów został zaprezentowany w poniższym fragmencie kodu:

```
<?
$post = new Post(); // Ustawienie właściwości w obiekcie Post.
$comment = new Comment(); // Ustawienie właściwości w obiekcie Comment.
$post->filter();
$comment->filter();
if ($BBCodeEnabled==false && $EmoticonEnabled==false)
{
    $PostContent = $post->getContent();
    $CommentContent = $comment->getContent();
```

```
}
elseif ($BBCodeEnabled==true && $EmoticonEnabled==false)
{
   $bb = new BBCodeParser($post);// Przekazanie obiektu Post do
      // BBCodeParser.
   $PostContent = $bb->getContent();
   $bb = new BBCodeParser($comment);// Przekazanie obiektu Comment do
      // BBCodeParser.
   $CommentContent = $bb->getContent();
}
elseif ($BBCodeEnabled==true && $EmoticonEnabled==false)
{
   $em = new EmoticonParser($post);
   $PostContent = $bb->getContent();
   $em = new EmoticonParser($comment);
   $CommentContent = $bb->getContent();
}
?>
```

W ten sposób można dodać dodatkowe funkcje do istniejących obiektów bez konieczności ich modyfikacji. Jednak, jak widać w powyższym kodzie, klasy `BBCodeParser` oraz `EmoticonParser` akceptują dowolny obiekt. Oznacza to, że jeżeli wymienionym metodom zostanie przekazany obiekt nieposiadający metody o nazwie `getContent()`, to kod ulegnie awarii. Dlatego też tym obiektom można zaimplementować interfejs. Ponadto, w obiekcie `Decorator` można skonfigurować akceptację tylko tych obiektów, które zaimplementowały wskazany interfejs.

Wzorzec Active Record

To jest kolejny bardzo ważny wzorzec projektowy, który upraszcza wykonywanie operacji na bazie danych. Więcej informacji na temat tego wzorca zostanie przedstawionych w rozdziale 7.

Wzorzec Fasada

Do chwili obecnej zostały przedstawione zastosowania wzorców projektowych do rozwiązywania wielu problemów występujących w programowaniu zorientowanym obiektowo. Oto kolejny interesujący wzorzec, który bardzo często nieświadomie jest używany w kodzie. W podrozdziale będzie więc omówiony często stosowany wzorzec projektowy o nazwie Fasada.

Fasada oferuje interfejs dla wielu obiektów. Innymi słowy, po prostu upraszcza proces programowania poprzez dostarczenie niezbędnego interfejsu, który w rzeczywistości wykonuje większość zadań związanych z obiektem. W ten sposób minimalizuje się ilość informacji koniecznych do przyswojenia przez programistę. Kiedy do zespołu dołącza nowy programista, nagle zostaje zasypany wieloma nowymi obiektami zawierającymi ogromną liczbę metod i właściwości, wśród których tylko kilka będzie niezbędnych do ukończenia jego części projektu. Dlaczego więc miałby poświęcać dużą ilość czasu na poznanie ich wszystkich? W takiej sytuacji rozwiązaniem jest wzorzec Fasada, który pomaga programiście i oszczędza jego czas. Poznajmy więc bliżej wymieniony wzorzec na praktycznym przykładzie.

Zakładamy, że tworzony jest system obsługujący wynajem lokali, który w repozytorium przechowuje trzy obiekty. Pierwszy obiekt zajmuje się geolokalizacją i korzysta z pomocy usług internetowych. Drugi obiekt zajmuje się lokalizacją miejsca i używa usługi związanej z mapą. Ostatni obiekt powoduje wyszukanie wszystkich lokali na sprzedaż, znajdujących się na danym obszarze.

Zadaniem programisty jest utworzenie łatwego interfejsu dla wymienionych trzech obiektów, tak aby nowy programista, który w przyszłości dołączy do zespołu, mógł pracować z biblioteką zamiast zajmować się analizą poszczególnych obiektów. Na rysunku 4.9 pokazano strukturę kodu przed zastosowaniem wzorca Fasada.

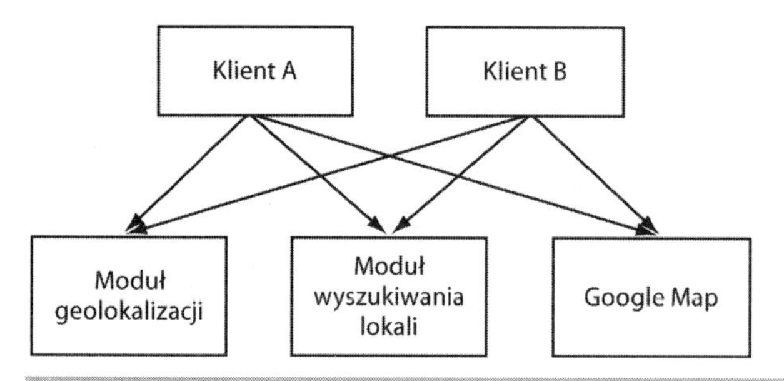

Rysunek 4.9. Zastosowanie wzorca projektowego Fasada w omawianym projekcie programistycznym

Na kolejnym rysunku (4.10) pokazano strukturę kodu już po zastosowaniu wzorca projektowego Fasada.

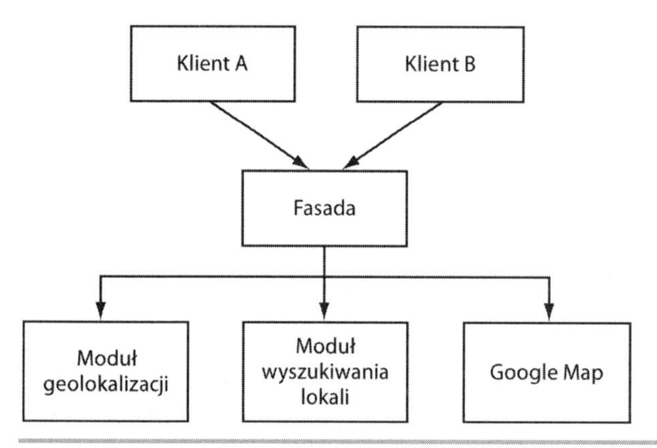

Rysunek 4.10. Struktura projektu po zastosowaniu wzorca projektowego Fasada

Przyjrzymy się więc kodowi programu:

```
<?
class ApartmentFinder
{
    public function locateApartments($place)
    {
        // Użycie usługi sieciowej w celu zlokalizowania wszystkich lokali.
        // Podanie szukanych danych.
        // Znalezione lokale będą zwrócone w postaci tablicy.
        return $apartmentsArray();
    }
}
?>
<?
class GeoLocator
{
    public function getLocations($place)
    {
        // Użycie publicznej usługi sieciowej geolokalizacji, takiej jak udostępnianej przez Yahoo
        // i pobranie współrzędnych geograficznych
        // szukanego miejsca.
        return array("lat"=>$lattitude, "lng"=>$longitude);
    }
}
?>
<?
class GoogleMap
{
    public function initialize()
    {
        // Przeprowadzenie inicjalizacji.
    }
    public function drawLocations($locations /* array */)
    {
        // Zlokalizowanie wszystkich miejsc za pomocą Google Map Locator.
    }
    public function dispatch($divid)
    {
        // Wyświetlenie mapy w elemencie div o podanym identyfikatorze.
    }
}
?>
```

Powyżej przedstawiono klasy wykonujące odpowiednie zadania. Kolejnym krokiem jest wykorzystanie wzorca Fasada pozwalającego na używanie wszystkich przedstawionych klas i dostarczenie programistom łatwego interfejsu. Poniżej zaprezentowano, jak łatwo można połączyć trzy wymienione klasy:

```
<?
class Facade
{
   public function findApartments($place, $divid)
   {
      $AF = new ApartmentFinder();
      $GL =new GeoLocator();
      $GM = new GoogleMap();
      $apartments = $AF->locateApartments($place);
      foreach ($apartments as $apartment)
      {
         $locations[] = $GL->getLocations($apartment);
      }
      $GM->initialize();
      $GM->drawLocations($locations);
      $GM->dispatch($divid);
   }
}
?>
```

Każdy może teraz wykorzystać usługi trzech przedstawionych wcześniej klas, używając tylko jednego interfejsu `Fascade`:

```
<?
$F = new Facade();
$F->findApartments("London, Greater London","mapdiv");
?>
```

Jak już wcześniej wspomniano, w programowaniu zorientowanym obiektowo tego rodzaju rozwiązania są często stosowane w projektach. Jednak bardzo często programista nie zdaje sobie sprawy, że przedstawione rozwiązanie to wzorzec projektowy o nazwie Fasada.

Podsumowanie

Wzorce projektowe stanowią istotny element programowania zorientowanego obiektowo. Dzięki ich wykorzystaniu kod staje się bardziej efektywny, bardziej wydajny i znacznie łatwiejszy w obsłudze. Czasami programiści implementują zaprezentowane w rozdziale wzorce projektowe, nie wiedząc nawet, że zastosowane techniki to po prostu wzorce projektowe. Istnieje wiele wzorców projektowych, które nie zostały opisane w niniejszej książce, ponieważ wówczas byłaby to książka o wzorcach projektowych. Jednak, jeśli czytelnik jest zainteresowany innymi wzorcami projektowymi, to warto zapoznać się z książkami *Head First Design Patterns. Edycja polska* (Wydawnictwo Helion) oraz *Design Patterns Explained* (Addison-Wesley).

Nie należy myśleć, że wzorce projektowe trzeba koniecznie implementować w tworzonym kodzie. Raczej należy je używać wtedy, gdy są przydatne. Wprawdzie prawidłowe użycie wzorców projektowych może poprawić wydajność kodu, ale nieprawidłowe ich zastosowanie może doprowadzić do zmniejszenia wydajności i efektywności kodu.

W następnym rozdziale zostanie omówiony kolejny ważny temat programowania zorientowanego obiektowo w PHP, czyli testy jednostkowe i refleksja. W międzyczasie warto nabrać wprawy w stosowaniu wzorców projektowych i poznać je nieco lepiej.

5

ROZDZIAŁ

Refleksja i testy jednostkowe

W porównaniu do języka PHP 4 wersja 5 wprowadza pewne nowości. Wiele starszych wersji API zostało zastąpionych nowszymi i lepiej zaprojektowanymi, między innymi dotyczy to Reflection API. Za pomocą wymienionego zestawu API programista może przeprowadzić inżynierię odwrotną dowolnej klasy bądź obiektu i tym samym poznać jego właściwości i metody. Ponadto, Reflection API pozwala na dynamiczne wywoływanie metod lub używanie ich do innych zadań. W rozdziale zostanie szczegółowo opisany mechanizm refleksji oraz sposób używania każdej z jego funkcji.

Bardzo ważnym etapem podczas tworzenia oprogramowania jest zbudowanie zestawów testów służących do automatycznego testowania tworzonego kodu. W ten sposób programista może upewnić się, że po wprowadzeniu jakichkolwiek, kod będzie nadal działał prawidłowo i zachowa wsteczną zgodność. Aby ułatwić pracę programistom, na rynku dostępnych jest wiele narzędzi testowania. Wśród nich bardzo popularnym narzędziem jest PHPUnit. W rozdziale zostaną więc poruszone również tematy związane z testami jednostkowymi w PHP.

Refleksja

Reflection API oferuje funkcje pozwalające na określenie w trakcie działania zawartości obiektu bądź klasy. Oprócz tego Reflection API pozwala na dynamiczne wywoływania każdej metody lub właściwości dowolnego obiektu. W podrozdziale zostanie zaprezentowana refleksja oraz nowe API o nazwie Reflection API, które zawiera dużą liczbę obiektów. Wśród nich najważniejsze to:

```
class Reflection {}
interface Reflector {}
class ReflectionException extends Exception {}
class ReflectionFunction implements Reflector {}
class ReflectionParameter implements Reflector {}
class ReflectionMethod extends ReflectionFunction {}
class ReflectionClass implements Reflector {}
class ReflectionObject extends ReflectionClass {}
class ReflectionProperty implements Reflector {}
class ReflectionExtension implements Reflector {}
```

Poznawanie refleksji rozpoczniemy od klasy `ReflectionClass`.

ReflectionClass

To jest jedna z najważniejszych klas w Reflection API. Do jej zadań należy pomoc programiście w przeprowadzeniu inżynierii odwrotnej dowolnego obiektu. Struktura klasy została przedstawiona poniżej:

```
<?php
class ReflectionClass implements Reflector
{
   final private __clone()
   public object __construct(string name)
   public string __toString()
   public static string export(mixed class, bool return)
   public string getName()
   public bool isInternal()
   public bool isUserDefined()
   public bool isInstantiable()
   public bool hasConstant(string name)
   public bool hasMethod(string name)
   public bool hasProperty(string name)
   public string getFileName()
   public int getStartLine()
   public int getEndLine()
   public string getDocComment()
   public ReflectionMethod getConstructor()
   public ReflectionMethod getMethod(string name)
   public ReflectionMethod[] getMethods()
   public ReflectionProperty getProperty(string name)
   public ReflectionProperty[] getProperties()
   public array getConstants()
   public mixed getConstant(string name)
   public ReflectionClass[] getInterfaces()
   public bool isInterface()
   public bool isAbstract()
   public bool isFinal()
```

```
    public int getModifiers()
    public bool isInstance(stdclass object)
    public stdclass newInstance(mixed args)
    public stdclass newInstanceArgs(array args)
    public ReflectionClass getParentClass()
    public bool isSubclassOf(ReflectionClass class)
    public array getStaticProperties()
    public mixed getStaticPropertyValue(string name [, mixed default])
    public void setStaticPropertyValue(string name, mixed value)
    public array getDefaultProperties()
    public bool isIterateable()
    public bool implementsInterface(string name)
    public ReflectionExtension getExtension()
    public string getExtensionName()
}
?>
```

Przeanalizujmy więc, w jaki sposób powyższa klasa faktycznie działa. W pierwszej kolejności zostaną przedstawione jej metody i ich przeznaczenie:

- Metoda `export()` powoduje wykonanie zrzutu wewnętrznej struktury obiektu, czyli działa niemal identycznie jak funkcja `var_dump()`.
- Metoda `getName()` zwraca wewnętrzną nazwę obiektu, stąd jej nazwa.
- Metoda `isInternal()` zwraca wartość `true`, jeżeli klasa jest obiektem wbudowanym w PHP 5.
- Metoda `isUserDefined()` stanowi przeciwieństwo metody `isInternal()`. Jej wartością zwrotną jest więc obiekt zdefiniowany przez użytkownika.
- Metoda `getFileName()` zwraca nazwę skryptu PHP, w którym została zapisana definicja klasy.
- Metoda `getStartLine()` zwraca numer wiersza kodu w pliku skryptu, od którego rozpoczyna się definicja klasy.
- Metoda `getDocComment()` jest kolejną interesującą metodą, która zwraca klasę na poziomie dokumentu wskazanego obiektu. Użycie jej zostanie zaprezentowane na przykładzie w dalszej części rozdziału.
- Metoda `getConstructor()` zwraca odniesienie do konstruktora. Wartość zwrotna jest w postaci obiektu `ReflectioinMethod`.
- Metoda `getMethod()` zwraca adres każdej metody, która zostanie jej przekazana w postaci ciągu tekstowego. Zwracanym obiektem jest `ReflectionMethod`.
- Metoda `getMethods()` zwraca tablicę zawierającą wszystkie metody obiektu. W wymienionej tablicy każda metoda jest zwrócona w postaci obiektu `ReflectionMethod`.
- Metoda `getProperty()` zwraca odniesienie do dowolnej właściwości danego obiektu. Wartość zwrotna jest w postaci obiektu `ReflectionProperty`.

- Metoda `getConstants()` zwraca tablicę stałych danego obiektu.
- Metoda `getConstant()` zwraca wartość wskazanej stałej.
- Jeżeli zachodzi potrzeba uzyskania odniesienia do interfejsów implementowanych przez daną klasę (jeżeli jakiekolwiek są w ogóle implementowane), to można użyć metody `getInterfaces()`, która zwraca tablicę zaimplementowanych interfejsów. Wartość zwrotna jest w postaci obiektu `ReflectionClass`.
- Metoda `getModifiers()` zwraca listę modyfikatorów powiązanych z daną klasą. Przykładowo, może to być wartość `public`, `private`, `protected`, `abstract`, `static` lub `final`.
- Metoda `newInstance()` zwraca nowy egzemplarz danej klasy w postaci zwykłego obiektu. (W rzeczywistości jest nim `stdClass`, ponieważ `stdClass` jest klasą podstawową każdego obiektu w PHP).
- Jeżeli zachodzi potrzeba uzyskania odniesienia do klasy nadrzędnej dowolnej klasy, to należy użyć metody `getParentClass()`. Wartość zwrotna jest w postaci obiektu `ReflectioinClass`.
- Inna doskonała metoda klasy `ReflectionClass()` potrafi określić klasę źródłową, z której wywodzi się wskazana klasa rozszerzona. Przykładowo, klasa `ArrayObject` wywodzi się z klasy `SPL`. Aby to sprawdzić, należy użyć metody `getExtensionName()`.

Następnie, przeanalizujemy przykładowy fragment kodu, który będzie praktycznie stosował wymienione wyżej metody. Poniżej znajduje się więc fantastyczny przykład zaczerpnięty z podręcznika PHP:

```
<?php
interface NSerializable
{
   // ...
}
class Object
{
   // ...
}
/**
* Klasa counter.
*/
class Counter extends Object implements NSerializable
{
   const START = 0;
   private static $c = Counter::START;
   /**
    * Wywołanie funkcji count().
    *
    * @access public
```

```
    * @return int
    */
   public function count()
   {
      return self::$c++;
   }
}
// Utworzenie egzemplarza klasy ReflectionClass.
$class = new ReflectionClass('Counter');
// Wyświetlenie podstawowych informacji o klasie.
printf(
   "===> To %s%s%s %s '%s' [extends %s]\n" .
   "     zadeklarowana w %s\n" .
   "     wiersze od %d do %d\n" .
   "     posiada modyfikatory dostępu %d [%s]\n",
       $class->isInternal() ? 'wbudowana' : 'zdefiniowana przez użytkownika',
       $class->isAbstract() ? ' abstract' : '',
       $class->isFinal() ? ' final' : '',
       $class->isInterface() ? 'interfejs' : 'klasa',
       $class->getName(),
       var_export($class->getParentClass(), 1),
       $class->getFileName(),
       $class->getStartLine(),
       $class->getEndline(),
       $class->getModifiers(),
       implode(' ', Reflection::getModifierNames(
                                   $class->getModifiers()))
       );
// Wyświetlenie komentarza znajdującego się w klasie.
printf("---> Dokumentacja:\n %s\n",
                  var_export($class->getDocComment(), 1));
// Wyświetlenie interfejsów zaimplementowanych przez klasę.
printf("---> Implementuje:\n %s\n",
                  var_export($class->getInterfaces(), 1));
// Wyświetlenie stałych klasy.
printf("---> Stałe: %s\n",
                  var_export($class->getConstants(), 1));
// Wyświetlenie właściwości klasy.
printf("---> Właściwości: %s\n",
                  var_export($class->getProperties(), 1));
// Wyświetlenie metod klasy.
printf("---> Metody: %s\n",
                  var_export($class->getMethods(), 1));
// Jeżeli można utworzyć egzemplarz klasy, to zostanie on teraz utworzony.
if ($class->isInstantiable())
{
   $counter = $class->newInstance();
   echo '---> $counter jest egzemplarzem? ';
```

```
    echo $class->isInstance($counter) ? 'tak' : 'nie';
    echo "\n---> new Object() jest egzemplarzem? ";
    echo $class->isInstance(new Object()) ? 'tak' : 'nie';
}
?>
```

Kolejny krok to zapisanie powyższego kodu w pliku o nazwie *class.counter.php*. Po uruchomieniu kodu zostaną wyświetlone następujące dane wyjściowe:

```
X-Powered-By: PHP/5.1.1
Content-type: text/html
===> To zdefiniowana przez użytkownika 'Counter' [extends
   ReflectionClass::__set_state(array(
   'name' => 'Object',
))]
     zadeklarowana w PHPDocument2
     wiersze od 15 do 29
     posiada modyfikatory dostępu 0 []
---> Dokumentacja:
 '/**
* Klasa counter
*/'
---> Implementuje:
 array (
  0 =>
  ReflectionClass::__set_state(array(
     'name' => 'NSerializable',
  )),
)
---> Stałe: array (
  'START' => 0,
)
---> Właściwości: array (
  0 =>
  ReflectionProperty::__set_state(array(
     'name' => 'c',
     'class' => 'Counter',
  )),
)
---> Metody: array (
  0 =>
  ReflectionMethod::__set_state(array(
     'name' => 'count',
     'class' => 'Counter',
  )),
)
---> $counter jest egzemplarzem? tak
---> new Object() jest egzemplarzem? nie
```

Klasa ReflectionMethod

Ta klasa służy do określenia metod dostępnych we wskazanej klasie oraz ich wywoływania. Struktura klasy `ReflectionMethod` przedstawia się następująco:

```
<?php
class ReflectionMethod extends ReflectionFunction
{
    public __construct(mixed class, string name)
    public string __toString()
    public static string export(mixed class, string name, bool return)
    public mixed invoke(stdclass object, mixed args)
    public mixed invokeArgs(stdclass object, array args)
    public bool isFinal()
    public bool isAbstract()
    public bool isPublic()
    public bool isPrivate()
    public bool isProtected()
    public bool isStatic()
    public bool isConstructor()
    public bool isDestructor()
    public int getModifiers()
    public ReflectionClass getDeclaringClass()
    // Dziedziczone z ReflectionFunction.
    final private __clone()
    public string getName()
    public bool isInternal()
    public bool isUserDefined()
    public string getFileName()
    public int getStartLine()
    public int getEndLine()
    public string getDocComment()
    public array getStaticVariables()
    public bool returnsReference()
    public ReflectionParameter[] getParameters()
    public int getNumberOfParameters()
    public int getNumberOfRequiredParameters()
}
?>
```

Najważniejsze metody powyższej klasy to `getNumberOfParameters()`, `getNumberOfRequiredParameters()`, `getParameters()` oraz `invoke()`. Pierwsze trzy metody służą do pobierania odpowiednio liczby parametrów, liczby wymaganych parametrów oraz parametrów. Przyjrzymy się teraz dokładniej czwartej metodzie. Poniżej przedstawiono doskonały przykład jej użycia, zaczerpnięty z podręcznika PHP:

```
<?php
class Counter
{
```

```
    private static $c = 0;
    /**
     * Zwiększanie wartości licznika.
     *
     * @final
     * @static
     * @access public
     * @return int
     */
    final public static function increment()
    {
        return ++self::$c;
    }
}
// Utworzenie egzemplarza klasy Reflection_Method.
$method = new ReflectionMethod('Counter', 'increment');
// Wyświetlenie informacji podstawowych.
printf(
    "===> To %s%s%s%s%s%s%s metoda '%s' (która jest %s)\n" .
    "     zadeklarowana w %s\n" .
    "     wiersze od %d do %d\n" .
    "     posiada następujące modyfikatory dostępu %d[%s]\n",
        $method->isInternal() ? 'wbudowana' : 'zdefiniowana przez użytkownika',
        $method->isAbstract() ? ' abstract' : '',
        $method->isFinal() ? ' final' : '',
        $method->isPublic() ? ' public' : '',
        $method->isPrivate() ? ' private' : '',
        $method->isProtected() ? ' protected' : '',
        $method->isStatic() ? ' static' : '',
        $method->getName(),
        $method->isConstructor() ? 'konstruktorem' :
                                    'zwykłą metodą',
        $method->getFileName(),
        $method->getStartLine(),
        $method->getEndline(),
        $method->getModifiers(),
        implode(' ', Reflection::getModifierNames(
                                $method->getModifiers()))
        );
// Wyświetlenie komentarza znajdującego się w klasie.
printf("---> Dokumentacja:\n %s\n",
                var_export($method->getDocComment(), 1));
// Wyświetlenie zmiennych statycznych, o ile takie istnieją
if ($statics= $method->getStaticVariables()) {
    printf("---> Zmienne statyczne: %s\n", var_export($statics, 1));
}
// Wywołanie metody.
printf("---> Wynik wywołania metody to: ");
var_dump($method->invoke(NULL));
?>
```

Po uruchomieniu powyższego kodu zostaną wyświetlone następujące dane wyjściowe:

```
===> To zdefiniowana przez użytkownika final public static metoda 'increment'
     (która jest zwykłą metodą)
     zadeklarowana w PHPDocument1
     wiersze od 14 do 17
     posiada następujące modyfikatory dostępu 261[final public static]
---> Dokumentacja:
 '/**
    * Zwiększanie wartości licznika
    *
    * @final
    * @static
    * @access  public
    * @return  int
    */'
---> Wynik wywołania metody to: int(1)
```

Klasa ReflectionParameter

Kolejnym bardzo ważnym elementem zaliczającym się do rodziny refleksji jest klasa `ReflectionParameter`. Za pomocą wymienionej klasy można analizować parametry dowolnej klasy oraz podejmować odpowiednie działania względem tych parametrów. Poniżej przedstawiono strukturę obiektu:

```
<?php
class ReflectionParameter implements Reflector
{
   final private __clone()
   public object __construct(string name)
   public string __toString()
   public static string export(mixed function, mixed parameter,
                                                     bool return)
   public string getName()
   public bool isPassedByReference()
   public ReflectionFunction getDeclaringFunction()
   public ReflectionClass getDeclaringClass()
   public ReflectionClass getClass()
   public bool isArray()
   public bool allowsNull()
   public bool isPassedByReference()
   public bool getPosition()
   public bool isOptional()
   public bool isDefaultValueAvailable()
   public mixed getDefaultValue()
}
?>
```

W poniższym fragmencie kodu przedstawiono przykład użycia klasy `ReflectionParameter`:

```
<?php
function foo($a, $b, $c) { }
function bar(Exception $a, &$b, $c) { }
function baz(ReflectionFunction $a,  $b = 1, $c = null) { }
function abc() { }
// Utworzenie egzemplarza Reflection_Function
// z podanymi parametrami.
$reflect = new ReflectionFunction("baz");
echo $reflect;
foreach ($reflect->getParameters() as $i => $param)
{
   printf(
       "-- Parametr #%d: %s {\n".
       "   Klasa: %s\n".
       "   Czy wartość NULL jest dozwolona?: %s\n".
       "   Przekazany przez referencję: %s\n".
       "   Czy jest opcjonalny?: %s\n".
       "}\n",
       $i,
       $param->getName(),
       var_export($param->getClass(), 1),
       var_export($param->allowsNull(), 1),
       var_export($param->isPassedByReference(), 1),
       $param->isOptional() ? 'tak' : 'nie'
   );
}
?>
```

Po uruchomieniu powyższego kodu zostaną wyświetlone następujące dane wyjściowe:

```
Function [ <user> <visibility error> function baz ]
{
  @@ C:\OOP_PHP5\Kody\rozdzial5\test.php 4 - 4
  - Parameters [3]
  {
    Parametr #0 [ <required> ReflectionFunction &$a ]
    Parametr #1 [ <optional> $b = 1 ]
    Parametr #2 [ <optional> $c = NULL ]
  }
}
-- Parametr #0: a
{
   Klasa: ReflectionClass::__set_state(array(
   'name' => 'ReflectionFunction',
))
   Czy wartość NULL jest dozwolona?: false
   Przekazany przez referencję: true
```

```
    Czy jest opcjonalny?: no
}
-- Parametr #1: b
{
    Klasa: NULL
    Czy wartość NULL jest dozwolona?: true
    Przekazany przez referencję: false
    Czy jest opcjonalny?: yes
}
-- Parametr #2: c
{
    Klasa: NULL
    Czy wartość NULL jest dozwolona?: true
    Przekazany przez referencję: false
    Czy jest opcjonalny?: yes
}
```

Klasa ReflectionProperty

To jest ostatnia klasa z rodziny refleksji, która zostanie omówiona w rozdziale. Jej zadaniem jest pomoc programiście w określeniu właściwości klasy oraz przeprowadzenie na nich procesu inżynierii odwrotnej. Klasa `ReflectionProperty` posiada następującą strukturę:

```
<?php
class ReflectionProperty implements Reflector
{
    final private __clone()
    public __construct(mixed class, string name)
    public string __toString()
    public static string export(mixed class, string name, bool return)
    public string getName()
    public bool isPublic()
    public bool isPrivate()
    public bool isProtected()
    public bool isStatic()
    public bool isDefault()
    public int getModifiers()
    public mixed getValue(stdclass object)
    public void setValue(stdclass object, mixed value)
    public ReflectionClass getDeclaringClass()
    public string getDocComment()
}
?>
```

Przedstawiony poniżej fragment kodu został zaczerpnięty z podręcznika PHP i powinien pomóc w zrozumieniu sposobu działania omawianej klasy:

```
<?php
class String
{
   public $length  = 5;
}
// Utworzenie egzemplarza klasy ReflectionProperty.
$prop = new ReflectionProperty('String', 'length');
// Wyświetlenie informacji podstawowych.
printf(
   "===> To jest właściwość '%s' typu %s%s%s%s (która została %s)\n" .
   "     posiadająca następujące modyfikatory dostępu %s\n",
       $prop->isPublic() ? ' public' : '',
       $prop->isPrivate() ? ' private' : '',
       $prop->isProtected() ? ' protected' : '',
       $prop->isStatic() ? ' static' : '',
       $prop->getName(),
       $prop->isDefault() ? 'zadeklarowana w trakcie kompilacji' :
                              'utworzona w trakcie działania programmu',
       var_export(Reflection::getModifierNames(
                           $prop->getModifiers()), 1)
     );
// Utworzenie nowego egzemplarza String.
$obj= new String();
// Pobranie wartości bieżącej.
printf("---> Wartość wynosi: ");
var_dump($prop->getValue($obj));
// Zmiana wartości.
$prop->setValue($obj, 10);
printf("---> Zmiana wartości na 10, nowa wartość wynosi: ");
var_dump($prop->getValue($obj));
// Zrzucenie obiektu.
var_dump($obj);
?>
```

Po uruchomieniu powyższego kodu zostaną wygenerowane dane wyjściowe zaprezentowane poniżej. Kod dokonuje analizy właściwości, korzystając z pomocy klasy `ReflectionProperty` i wyświetla następujące informacje:

```
===> To jest właściwość 'length' typu public (która została zadeklarowana
     w trakcie kompilacji)
     posiadająca następujące modyfikatory dostępu array (
  0 => 'public',
)
---> Wartość wynosi: int(5)
---> Zmiana wartości na 10, nowa wartość wynosi: int(10)
object(String)#2 (1) {
  ["length"]=>
  int(10)
}
```

Więcej przykładów użycia Reflection API będzie zaprezentowanych w dalszej części książki, już po omówieniu budowy architektury MVC.

Testy jednostkowe

Kolejnym ważnym aspektem programowania są testy jednostkowe umożliwiające programiście testowanie fragmentów kodu oraz sprawdzanie, czy działa on zgodnie z oczekiwaniami. Tego rodzaju test można napisać względem dowolnej wersji kodu, a następnie sprawdzić, czy kod działa prawidłowo po przeprowadzeniu refaktoringu. Testy jednostkowe pozwalają na potwierdzenie sprawności kodu oraz pomagają w dokładnym określeniu pojawiających się problemów. Podczas pracy nad programem testy jednostkowe działają na zasadzie szkieletu i są obowiązkową częścią procesu programowania dla programistów wszelkich języków. Warto dodać, że dla niemal wszystkich języków programowania zostały opracowane pakiety testów jednostkowych.

Jak w przypadku innych języków programowania istnieje jeden pakiet dla Javy, który uznaje się za standardowy model dla innych pakietów testów jednostkowych dostępnych dla pozostałych języków. Ten pakiet nosi nazwę **JUnit** i został opracowany z myślą o programistach Java. Standard i styl testów zawarty w pakiecie JUnit jest zazwyczaj stosowany w innych pakietach testów jednostkowych. Dlatego też JUnit stał się faktycznie powszechnie stosowanym standardem testów jednostkowych. Port pakietu JUnit dla języka PHP nosi nazwę **PHPUnit** i został opracowany przez Sebastiana Bergmanna. PHPUnit jest bardzo popularnym pakietem pomagającym w przeprowadzaniu testów jednostkowych.

Jednym z głównych powodów tworzenia testów jednostkowych jest fakt, że w trakcie pisania i wdrażania programu nie ma możliwości wychwycenia wszystkich powstałych w nim błędów. Przykładowo, w programie może znajdować się drobny błąd, który prowadzi do awarii programu poprzez zwrot nieodpowiedniej wartości. Nie należy pomijać tego rodzaju błędów. Mogą wystąpić sytuacje, w których programista nie będzie sobie nawet zdawał sprawy z tego, że jeden z fragmentów kodu zwraca wyjątkowo błędny wynik. Testy jednostkowe pomagają w tworzeniu odmiennych zestawów testów. Testy jednostkowe nie wymagają poświęcania im bardzo dużo czasu, ale uzyskane wyniki potrafią być zadziwiające.

W tej części rozdziału zostaną przedstawione podstawy dotyczące testów jednostkowych oraz fragmenty kodu z przykładowymi testami.

Korzyści płynące z testów jednostkowych

Używanie testów jednostkowych możne przynieść wiele korzyści, między innymi:

- Zagwarantowanie spójności programu.
- Zagwarantowanie sprawnego działania ukończonego programu po przeprowadzeniu jakiegokolwiek refaktoringu.

- Wyszukanie nadmiarowego kodu i jego usunięcie.
- Projektowanie dobrych API.
- Łatwe określanie miejsca występujących problemów.
- Przyśpieszenie ewentualnego procesu usuwania błędów, ponieważ wiadomo, w którym miejscu należy ich szukać.
- Minimalizacja wysiłku związanego z tworzeniem dokumentacji poprzez dostarczanie działających przykładów opracowanego API.
- Pomoc w wykonywaniu testów regresji, tak aby regresja ponownie nie wystąpiła.

Krótkie wprowadzenie do niebezpiecznych błędów

Błędy mogą być różnego rodzaju. Niektóre z nich po prostu tylko przeszkadzają użytkownikom, inne powodują ograniczenie funkcjonalności programu, a jeszcze inne są na tyle niebezpieczne, że mogą doprowadzić do uszkodzenia zasobów. Przeanalizujmy następujący przykład. Programista napisał funkcję, która pobiera dwa parametry, a następnie na ich podstawie uaktualnia bazę danych. Pierwszym parametrem jest nazwa pola, podczas gdy drugi parametr określa wartość tego pola. Funkcja powinna więc zlokalizować dane pole i uaktualnić jego wartość. Spójrzmy na kod tego rodzaju funkcji:

```
function selectUser($field, $condition)
{
   if (!empty($condition))
   {
      $query = "{$field}= '{$condition}'";
   }
   else
      $query = "{$field}";
      echo "select * from users where {$query}";
   $result = mysql_query("select * from users where {$query}");
   $results = array();
   while ($data = mysql_fetch_array($result))
   {
      $results[] = $data;
   }
   return $results;
}
```

Następnie funkcja zostaje wywołana w poniższy sposób:

```
print_r(selectUser("id","1"));
```

Dane wyjściowe przedstawionej funkcji są następujące:

```
(
   [0] => Array
      (
         [0] => 1
```

```
            [id] => 1
            [1] => afif
            [name] => afif
            [2] => 47bce5c74f589f4867dbd57e9ca9f808
            [pass] => 47bce5c74f589f4867dbd57e9ca9f808
        )
)
```

Natomiast po wywołaniu funkcji w taki sposób:

```
print_r(selectUser("id",$_SESSION['id']));
```

otrzymujemy następujące dane wyjściowe:

```
(
    [0] => Array
        (
            [0] => 1
            [id] => 1
            [1] => afif
            [name] => afif
            [2] => 47bce5c74f589f4867dbd57e9ca9f808
            [pass] => 47bce5c74f589f4867dbd57e9ca9f808
        )
    [1] => Array
        (
            [0] => 2
            [id] => 2
            [1] => 4b8ed057e4f0960d8413e37060d4c175
            [name] => 4b8ed057e4f0960d8413e37060d4c175
            [2] => 74b87337454200d4d33f80c4663dc5e5
            [pass] => 74b87337454200d4d33f80c4663dc5e5
        )
)
```

To nie są prawidłowe dane wyjściowe. W trakcie działania programu, jeśli zamiast polecenia `select` będzie użyte `update`, to wszystkie dane mogą zostać uszkodzone. Powstaje pytanie, w jaki sposób można zagwarantować, że dane wyjściowe zawsze będą prawidłowe? Ogólnie rzecz biorąc, można to bardzo łatwo zrobić za pomocą testów jednostkowych, zgodnie z opisem zaprezentowanym w dalszej części rozdziału.

Przygotowanie do przeprowadzania testów jednostkowych

Aby za pomocą pakietu PHPUnit przygotować prawidłowy test jednostkowy dla programu napisanego w języku PHP, trzeba wymieniony pakiet pobrać, skonfigurować, a następnie wykonać kilka drobnych zadań. Dopiero wówczas będzie można przejść do przeprowadzania własnych testów jednostkowych.

Test PHPUnit można przeprowadzać z wiersza poleceń bądź bezpośrednio ze skryptu. W chwili obecnej skoncentrujemy się na testach wykonywanych z wewnątrz skryptu, ale w dalszej części rozdziału zostanie przedstawione również przeprowadzanie testów jednostkowych z poziomu wiersza poleceń.

Pierwszym krokiem jest pobranie pakietu PHPUnit ze strony *http://www.phpunit.de* oraz jego rozpakowanie do katalogu znajdującego się w systemowej ścieżce dostępu. Jeżeli czytelnik nie zna ścieżki dostępu, to można ją odczytać z pliku konfiguracyjnego *php.ini*, szukając ustawienia `include_path`. Innym rozwiązaniem jest wykonanie poniższego skryptu, który na ekranie wyświetli systemową ścieżkę dostępu:

```
<?
echo get_include_path()
?>
```

Kolejnym krokiem jest rozpakowanie archiwum pakietu PHPUnit i umieszczenie katalogu *PHPUnit* w katalogu, który znajduje się w systemowej ścieżce dostępu. Wymieniony katalog *PHPUnit* zawiera dwa podkatalogi o nazwach *PHPUnit* i *PHPUnit2*.

Instalacja zostanie zakończona po umieszczeniu dwóch wymienionych podkatalogów w katalogu znajdującym się w systemowej ścieżce dostępu. W tej chwili można przystąpić już do pracy.

Rozpoczęcie przeprowadzania testów jednostkowych

W rzeczywistości test jednostkowy jest zbiorem różnych testów wykonywanych na kodzie. Utworzenie testu jednostkowego za pomocą PHPUnit nie jest dużym wyzwaniem. Programista musi po prostu kierować się kilkoma konwencjami. Zapoznajmy się więc z poniższym fragmentem kodu, w którym utworzono klasę operującą na ciągu tekstowym. Wartością zwrotną przedstawionej klasy jest liczba słów w podanym ciągu tekstowym.

```
<?
// class.wordcount.php
class wordcount
{
   public function countWords($sentence)
   {
      return count(split(" ",$sentence));
   }
}
?>
```

Zadanie do wykonania to napisanie testu jednostkowego zaprezentowanej klasy. Aby utworzyć test jednostkowy, trzeba rozszerzyć klasę `PHPUnit_Framework_TestCase`. Następnie, klasa `PHPUnit_Framework_TestCase` zostanie użyta do zbudowania zestawu testowego, który będzie przechowywał rzeczywiste testy. Uruchomienie testów z zestawu oraz wyświetlenie jego wyników będzie odbywało się za pomocą klasy `PHPUnit_TextUI_TestRunner`.

```
<?
// class.testwordcount.php
require_once "PHPUnit/Framework/TestCase.php";
require_once "class.wordcount.php";
class TestWordCount extends PHPUnit_Framework_TestCase
{
   public function testCountWords()
   {
      $Wc = new WordCount();
      $TestSentence = "mam na imię anonim";
      $WordCount = $Wc->countWords($TestSentence);
      $this->assertEquals(4,$WordCount);
   }
}
?>
```

Uruchomienie testu wygląda następująco:

```
<?
// testsuite.wordcount.php
require_once 'PHPUnit/TextUI/TestRunner.php';
require_once "PHPUnit/Framework/TestSuite.php";
require_once "class.testwordcount.php";
$suite = new PHPUnit_Framework_TestSuite();
$suite->addTestSuite("TestWordCount");
PHPUnit_TextUI_TestRunner::run($suite);
?>
```

Teraz, po uruchomieniu kodu w skrypcie *testsuite.wordcount.php*, zostaną wyświetlone następujące dane wyjściowe:

```
PHPUnit 3.0.5 by Sebastian Bergmann.
Time: 00:00
OK (1 test)
```

Oznacza to, że test został zaliczony i funkcja zliczająca słowa w ciągu tekstowym działa znakomicie. Jednak dla tej funkcji zostanie napisanych jeszcze kilka innych testów.

Do skryptu *class.testwordcount.php* zostaje dodany nowy test:

```
public function testCountWordsWithSpaces()
{
   $wc= new WordCount();
   $testSentence = "mam na imię Anonim ";
   $wordCount = $Wc->countWords($testSentence);
   $this->assertEquals(4,$wordCount);
}
```

Po wprowadzeniu powyżej modyfikacji i ponownym uruchomieniu testów zostaną wygenerowane następujące dane wyjściowe:

```
PHPUnit 3.0.5 by Sebastian Bergmann.
.F
Time: 00:00
There was 1 failure:
1) testCountWordsWithSpaces(TestWordCount)
Failed asserting that <integer:5> is equal to <integer:4>.
C:\OOP_PHP5\Kody\rozdzial5\UnitTest\FirstTest.php:34
C:\OOP_PHP5\Kody\rozdzial5\UnitTest\FirstTest.php:40
C:\Program Files\Zend\ZendStudio-5.2.0\bin\php5\dummy.php:1
FAILURES!
Tests: 2, Failures: 1.
```

Powyższe dane sugerują, że omawiana funkcja zliczająca słowa uległa awarii. Powstaje pytanie, jakie tym razem były dane wejściowe funkcji? W parametrze funkcji `mam na imię Anonim` wprowadzono dodatkowe spacje, a działanie funkcji zakończyło się niepowodzeniem. Wynika to z faktu, że funkcja po prostu dzieli zdanie za pomocą znaków odstępu, a następnie oblicza ilość tych części. Ponieważ tym razem jest więcej znaków odstępu, to działanie funkcji kończy się niepowodzeniem. To jest bardzo użyteczny test, który pokazuje, że w wydanym programie ta funkcja zliczająca liczbę słów może działać nieprawidłowo. Pakiet PHPUnit okazał się więc bardzo użyteczny dla programisty. Kolejnym krokiem jest więc poprawienie funkcji w taki sposób, aby zwracała prawidłową liczbę słów w ciągu tekstowym, nawet jeśli będzie on zawierał większą ilość znaków odstępu. Klasa `WordCount` w pliku *class.wordcount.php* zostaje zmodyfikowana następująco:

```
class WordCount
{
   public function countWords($sentence)
   {
      $newsentence = preg_replace("~\s+~"," ",$sentence);
      return count(split(" ",$newsentence));
   }
}
```

Po wprowadzeniu powyżej modyfikacji i ponownym uruchomieniu testów zostaną wygenerowane następujące dane wyjściowe:

```
PHPUnit 3.0.5 by Sebastian Bergmann.
..
Time: 00:00
OK (2 tests)
```

Pomimo pomyślnych wyników testu programista może chcieć uzyskać mocniejsze dowody na to, że w rzeczywistym programie funkcja będzie działała prawidłowo. Dlatego też został utworzony kolejny test, który należy dodać do skryptu *class.testwordcount.php*:

```
public function testCountWordsWithNewLine()
{
   $Wc = new WordCount();
   $TestSentence = "my name is \n\r Anonim";
```

```
        $WordCount = $Wc->countWords($TestSentence);
        $this->assertEquals(4,$WordCount);
    }
```

Następnie trzeba ponownie uruchomić zestaw testów. Jaki będzie otrzymany wynik?

```
PHPUnit 3.0.5 by Sebastian Bergmann.
...
Time: 00:00
OK (3 tests)
```

Ten wynik jest w pełni satysfakcjonujący. Wszystkie uruchomione testy zostały zaliczone. Oznacza to, że napisana funkcja działa prawidłowo.

Powyższy przykład pokazał, w jaki sposób testy jednostkowe mogą pomóc programiście.

Testowanie obiektu EmailValidator

Warto powtórzyć przedstawione powyżej kroki. Jednak tym razem zostaną utworzone testy służące do testowania nowej klasy `EmailValidator`, która jest przez programistę uważana za dobrą. Pierwszym krokiem jest zapoznanie się z klasą `EmailValidator`:

```
// class.emailvalidator.php
class EmailValidator
{
    public function validateEmail($email)
    {
        $pattern = "/[A-z0-9]{1,64}@[A-z0-9]+\.[A-z0-9]{2,3}/";
        preg_match($pattern, $email,$matches);
        return (strlen($matches[0])==strlen($email)?true:false);
    }
}
?>
```

Zbiór testowy przedstawia się następująco:

```
class TestEmailValidator extends PHPUnit_Framework_TestCase
{
    private $Ev;
    protected function setup()
    {
        $this->Ev = new EmailValidator();
    }
    protected  function tearDown()
    {
        unset($this->Ev);
    }
    public function testSimpleEmail()
```

```
    {
        $result = $this->Ev->validateEmail("has.in@somewherein.net");
        $this->assertTrue($result);
    }
}
```

Kolejny krok to napisanie i uruchomienie testu:

```
$suite = new PHPUnit_Framework_TestSuite();
$suite->addTestSuite("TestEmailValidator");
PHPUnit_TextUI_TestRunner::run($suite);
```

Po uruchomieniu zbioru testowego zostaną wygenerowane następujące dane wyjściowe:

```
PHPUnit 3.0.5 by Sebastian Bergmann.
...
Time: 00:00
OK (1 test)
```

Kolejny etap jest nieco trudniejszy i będzie polegał na próbie doprowadzenia kodu do awarii. Trzeba więc wypróbować wszystkie możliwe kombinacje, które mogą wystąpić podczas weryfikacji adresu e-mail. Do zestawu zostają więc dodane następne testy:

```
class TestEmailValidator extends PHPUnit_Framework_TestCase
{
    private $Ev;
    protected function setUp()
    {
        $this->Ev = new EmailValidator();
    }
    protected  function tearDown()
    {
        unset($this->Ev);
    }
    public function testSimpleEmail()
    {
        $result = $this->Ev->validateEmail("hasin@somewherein.net");
        $this->assertTrue($result);
    }
    public function testEmailWithDotInName()
    {
        $result = $this->Ev->validateEmail("has.in@somewherein.net");
        $this->assertTrue($result);
    }
    public function testEmailWithComma()
    {
        $result = $this->Ev->validateEmail("has,in@somewherein.net");
        $this->assertFalse($result);
    }
    public function testEmailWithSpace()
```

```
    {
       $result = $this->Ev->validateEmail("has in@somewherein.net");
       $this->assertTrue($result);
    }
    public function testEmailLengthMoreThan64Char()
    {
       $result =
       $this->Ev->validateEmail(str_repeat("h",67)."@somewherein.net");
       $this->assertFalse($result);
    }
    public function testEmailWithInValidCharacters()
    {
       $result = $this->Ev->validateEmail("has#in@somewherein.net");
       $this->assertFalse($result);
    }
    public function testEmailWithNoDomain()
    {
       $result = $this->Ev->validateEmail("hasin@");
       $this->assertFalse($result);
    }
    public function testEmailWithInvalidDomain()
    {
       $result =
          $this->Ev->validateEmail("hasin@somewherein.comnetorg");
       $this->assertFalse($result);
    }
}
```

Po wprowadzeniu w zestawie testowym powyższych modyfikacji i ponownym uruchomieniu testów zostaną wygenerowane następujące dane wyjściowe:

```
PHPUnit 3.0.5 by Sebastian Bergmann.
.F.F....
Time: 00:00
There were 1 failures:
1) testEmailWithDotInName(TestEmailValidator)
Failed asserting that <boolean:false> is identical to <boolean:true>.
C:\OOP_PHP5\Kody\rozdzial5\UnitTest\EmailValidatorTest.php:40
C:\OOP_PHP5\Kody\rozdzial5\UnitTest\EmailValidatorTest.php:83
C:\Program Files\Zend\ZendStudio-5.2.0\bin\php5\dummy.php:1
FAILURES!
Tests: 8, Failures: 1.
```

Wyniki testów wskazują, że funkcja nie działa prawidłowo. Po dokładniejszej analizie wyników widać, że awaria następuje w teście `testEmailWithDotInName`. Dlatego też trzeba zmienić wyrażenie regularne w taki sposób, aby zastosowanie kropki (`.`) w nazwie było dozwolone.

Zmodyfikowana klasa `EmailValidator` przedstawia się następująco:

```
class EmailValidator
{
   public function validateEmail($email)
   {
      $pattern = "/[A-z0-9\.]{1,64}@[A-z0-9]+\.[A-z0-9]{2,3}/";
      preg_match($pattern, $email,$matches);
      return (strlen($matches[0])==strlen($email)?true:false);
   }
}
```

Po ponownym uruchomieniu zestawu testowego zostaną wygenerowane następujące dane wyjściowe:

```
PHPUnit 3.0.5 by Sebastian Bergmann.
........
Time: 00:00
OK (8 tests)
```

Wszystkie testy zostały zaliczone.

Jaka więc płynie korzyść z ich stosowania? Za każdym razem, gdy do wyrażenia regularnego zostaje dodana nowa reguła, przeprowadzenie testu jednostkowego pozwala na wykonanie regresji testu i upewnienie się, że ten sam błąd już ponownie nie wystąpi.

Na tym właśnie polega piękno testów jednostkowych.

> W powyższych przykładach testów wykorzystano dwie funkcje: `setUp()` oraz `tearDown()`. Funkcja `setUp()` jest używana w celu ustawiania wszelkich wartości w teście, więc można ją zastosować do nawiązania połączenia z bazą danych, otwarcia pliku lub innej operacji. Z kolei funkcja `tearDown()` służy do czyszczenia. Ta funkcja jest wywoływana po zakończeniu działania skryptu.

Testy jednostkowe dla zwykłych skryptów

Oprócz testów jednostkowych do sprawdzania funkcji i małych klas programista będzie musiał tworzyć również testy do sprawdzania ostatecznych wyników generowanych przez różne funkcje. Jednak im bardziej specyficzny test jednostkowy, tym dokładniejsze wyniki otrzymane za jego pomocą. Warto również pamiętać, że z wielu napisanych testów jednostkowych jedynie kilka będzie naprawdę użytecznych.

Kolejny omówiony przykład będzie dotyczył testowania procedury działającej z bazą danych. Utworzona zostanie mała klasa, której celem będzie wstawianie, wyszukiwanie i uaktualnianie rekordów bazy danych. Dla tej klasy utworzymy testy jednostkowe. Poniżej przedstawiono test wymienionej małej klasy, która działa bezpośrednio z tabelą o nazwie `users` znajdującą się w bazie danych.

```
<?
class DB
{
   private $connection;
   public function __construct()
   {
      $this->connection = mysql_connect("localhost","root","root1234");
      mysql_select_db("test",$this->connection);
   }
   public function insertData($data)
   {
      $fields = join(array_keys($data),",");
      $values = "'".join(array_values($data),"','")."'";
      $query = "INSERT INTO users({$fields}) values({$values})";
      return mysql_query($query, $this->connection);
   }
   public function deleteData($id)
   {
      $query = "delete from users where id={$id}";
      return mysql_query($query, $this->connection);
   }
   public function updateData($id, $data)
   {
      $queryparts = array();
      foreach ($data as $key=>$value)
      {
         $queryparts[] = "{$key} = '{$value}'";
      }
      $query = "UPDATE users SET ".join($queryparts,",")."
         WHERE id='{$id}'";
      return mysql_query($query, $this->connection);
   }
}
?>
```

Celem testu jest sprawdzenie wszystkich metod publicznych klasy w celu upewnienia się, że działają one prawidłowo. Poniżej przedstawiono kod zestawu testowego:

```
<?
require_once "PHPUnit/Framework/TestCase.php";
class DBTester extends PHPUnit_Framework_TestCase
{
   private $connection;
   private $Db;
   protected function setup()
   {
      $this->Db = new DB();
      $this->connection = mysql_connect("localhost","root","root1234");
      mysql_select_db("abcd",$this->connection);
```

```
    }
    protected  function tearDown()
    {
       mysql_close($this->connection);
    }
    public function testValidInsert()
    {
       $data = array("name"=>"robert","pass"=>md5("witaj świecie"));
       mysql_query("delete from users");
       $result = $this->Db->insertData($data);
       $this->assertNotNull($result);
       $affected_rows = mysql_affected_rows($this->connection);
       $this->assertEquals(1, $affected_rows);
    }
    public function testInvalidInsert()
    {
       $data = array("names"=>"robert","passwords"=>md5("witaj świecie"));
       mysql_query("delete from users");
       $result = $this->Db->insertData($data);
       $this->assertNotNull($result);
       $affected_rows = mysql_affected_rows($this->connection);
       $this->assertEquals(-1, $affected_rows);
    }
    public function testUpdate()
    {
       $data = array("name"=>"robert","pass"=>md5("witaj świecie"));
       mysql_query("truncate table users");
       $this->Db->insertData($data);
       $data = array("name"=>"robert2","pass"=>md5("witaj świecie"));
       $result = $this->Db->updateData(1, $data);
       $this->assertNotNull($result);
       $affected_rows = mysql_affected_rows($this->connection);
       $this->assertEquals(1, $affected_rows);
    }
    public function testDelete()
    {
       $data = array("name"=>"robert","pass"=>md5("witaj świecie"));
          mysql_query("truncate table users");
       $this->Db->insertData($data);
       $result = $this->Db->deleteData(1);
       $this->assertNotNull($result);
       $affected_rows = mysql_affected_rows($this->connection);
       $this->assertEquals(1, $affected_rows);
    }
}
?>
```

Przygotowany do uruchomienia zestaw testowy jest następujący:

```
<?
require_once 'PHPUnit/TextUI/TestRunner.php';
require_once "PHPUnit/Framework/TestSuite.php";
$suite = new PHPUnit_Framework_TestSuite();
$suite->addTestSuite("DBTester");
PHPUnit_TextUI_TestRunner::run($suite);
?>
```

Po jego uruchomieniu będą wygenerowane następujące dane wyjściowe:

```
PHPUnit 3.0.5 by Sebastian Bergmann.
....
Time: 00:00
OK (4 tests)
```

Jednak powyższe testy sprawdzały tylko podstawowe funkcje kodu. Trzeba przeprowadzić bardziej wszechstronne testy oraz spróbować określić, w jaki sposób utworzone obiekty mogą ulec awarii. Do zbioru testowego należy więc dodać dwa kolejne testy:

```
public function testInvalidUpdate()
{
   $data = array("name"=>"robert","pass"=>md5("witaj świecie"));
   mysql_query("truncate table users");
   $this->Db->insertData($data);
   $data = array("name"=>"robert2","pass"=>md5("witaj świecie"));
   $result = $this->Db->updateData(2, $data);
   $affected_rows = mysql_affected_rows($this->connection);
   $this->assertEquals(0, $affected_rows);
}
public function testInvalidDelete()
{
   $data = array("name"=>"robert","pass"=>md5("witaj świecie"));
   mysql_query("truncate table users");
   $this->Db->insertData($data);
   $result = $this->Db->deleteData("*");
   $this->assertNotNull($result);
   $affected_rows = mysql_affected_rows($this->connection);
   $this->assertEquals(-1, $affected_rows);
}
```

Po uruchomieniu zmodyfikowanego zestawu testowego będą wygenerowane następujące dane wyjściowe:

```
PHPUnit 3.0.5 by Sebastian Bergmann.
......
Time: 00:00
OK (6 tests)
```

Wyniki testów wskazują, że utworzony kod działający z bazą danych działa prawidłowo.

Podczas stosowania testów jednostkowych w rzeczywistości trzeba pomyśleć o tym, w jaki sposób można doprowadzić kod do awarii. Jeszcze lepiej jest, jeżeli programista jest w stanie napisać test prowadzący do awarii istniejącego kodu.

Podejście Test Driven Development (TDD)

Pora przejść nieco dalej w zakresie testów jednostkowych. Czytelnik może zadawać sobie pytanie, kiedy należy tworzyć testy jednostkowe w trakcie opracowywania danego programu? Czy w trakcie prac nad programem, czy już po zakończeniu tworzenia jego kodu? Ogólnie rzecz biorąc, programiści stosują różne podejścia. Najlepszym rozwiązaniem wydaje się w pierwszej kolejności utworzenie testu, a następnie dopiero rzeczywistego kodu programu. Taki styl programowania nosi nazwę **Test Driven Development**, czyli w skrócie TDD. Podejście z zastosowaniem stylu TDD pozwala programiście w pisaniu lepszego API tworzonego programu.

Kolejne powstające w tym miejscu pytanie dotyczy sensu tworzenia testów, gdy nie ma jeszcze opracowanego żadnego realnego kodu programu. Jakie elementy mają być wówczas testowane? Do zastosowania podejścia TDD nie są wymagane żadne realne obiekty. Warto sobie wyobrazić wyimaginowany obiekt zawierający po prostu funkcje, które następnie będą używane do otrzymania wyimaginowanych wyników. Programista może napisać również niekompletny test, czyli test nie zawierający głównego kodu. Następnie, kiedy programiście będzie wygodnie, może szkielet testu uzupełnić głównym kodem testu. Poniżej został zaprezentowany przykład, który pomaga w zrozumieniu, w jaki sposób podczas procesu tworzenia programu stosować testy jednostkowe przed napisaniem rzeczywistego kodu.

Pakiet PHPUnit oferuje dużą liczbę użytecznych API możliwych do zastosowania w sytuacji, gdy testy są tworzone wcześniej niż rzeczywisty kod. Jako przykład można wymienić funkcje `markTestSkipped()` i `markTestIncomplete()`. Wymienione dwie metody będą stosowane do oznaczania tych testów, które nie zostały jeszcze zaimplementowane. Pracę rozpoczniemy od utworzenia menedżera komentarzy otrzymywanych od użytkowników, który będzie przyjmował komentarz, a następnie wysyłał go pocztą e-mail do użytkownika. Jakie więc są użyteczne funkcje menedżera komentarzy użytkowników? Autor sugeruje następujące funkcje:

- Możliwość wygenerowania formularza służącego do wprowadzenia komentarza.
- Możliwość obsługi danych wejściowych użytkownika oraz ich prawidłowego filtrowania.
- Funkcja chroniąca przed spamem.
- Uniemożliwienie wysyłania automatycznych komentarzy, na przykład generowanych przez boty.
- Wygenerowanie potwierdzenia wysłania komentarza i wysłanie go do użytkownika.

Pierwszym krokiem jest utworzenie szkieletu testów jednostkowych dla tworzonego programu. W omawianym przykładzie przed utworzeniem jakiegokolwiek rzeczywistego kodu tworzymy następujące testy:

```
<?
class FeedbackTester extends PHPUnit_Framework_TestCase
{
   public function testUsersEmail()
   {
      $this->markTestIncomplete();
   }
   public function testInvalidDomain()
   {
      $this->markTestIncomplete();
   }
   public function testCaptchaGenerator()
   {
      $this->markTestIncomplete();
   }
   public function testCaptchaChecker()
   {
      $this->markTestIncomplete();
   }
   public function testFormRenderer()
   {
      $this->markTestIncomplete();
   }
   public function testFormHandler()
   {
      $this->markTestIncomplete();
   }
   public function testValidUserName()
   {
      $this->markTestIncomplete();
   }
   public function testValidSubject()
   {
      $this->markTestIncomplete();
   }
   public function testValidContent()
   {
      $this->markTestIncomplete();
   }
   public function testFeedbackSender()
   {
      $this->markTestIncomplete();
   }
   public function testConfirmer()
   {
      $this->markTestIncomplete();
   }
}
?>
```

W powyższym fragmencie kodu utworzono jedenaście pustych testów. Po uruchomieniu tak przygotowanego zestawu testowego zostaną wygenerowane następujące dane wyjściowe:

```
PHPUnit 3.0.5 by Sebastian Bergmann.
IIIIIIIIII
Time: 00:00
OK, but incomplete or skipped tests!
Tests: 11, Incomplete: 11.
```

Pakiet PHPUnit prawidłowo określił, że wszystkie przygotowane testy są oznaczone jako niekompletne. Warto zastanowić się ponownie. Jeżeli zostanie wygenerowany obiekt `InputValidator` sprawdzający poprawność danych wejściowych użytkownika oraz filtrujący z nich wszelkie podejrzane dane, to w zestawie testowym może być przygotowany tylko jeden test — `testValidInput()` zamiast `testValidUserName()`, `testValidSubject()`, `testValidContent()`. Z tego powodu należy pominąć wymienione testy i utworzyć procedurę testową `testValidInput()`, a następnie oznaczyć ją jako niekompletną:

```
public function testValidInput()
{
   $this->markTestIncomplete();
}
```

Powstaje pytanie, co zrobić z trzema pominiętymi testami? Nie należy ich usuwać, ale oznaczyć jako pominięte. Wiersz `$this-> markTestIncomplete()` trzeba zmodyfikować na `$this-> markTestSkipped()`. Przykładowo:

```
public function testValidUserName()
{
   $this->markTestSkipped();
}
```

Po wprowadzeniu powyższych modyfikacji i ponownym uruchomieniu zestawu testowego zostaną wygenerowane następujące dane wyjściowe:

```
PHPUnit 3.0.5 by Sebastian Bergmann.
IIIIIISSSIII
Time: 00:00
OK, but incomplete or skipped tests!
Tests: 12, Incomplete: 9, Skipped: 3.
```

Pakiet PHPUnit wskazał, że trzy testy zostały pominięte.

W celu zachowania zwięzłości tekstu i skoncentrowania się na temacie, w przykładzie zostanie przedstawiona implementacja tylko jednego testu z dziewięciu znajdujących się w zestawie testowym. Sprawdzana będzie więc funkcja generowania formularza pozwalającego na wprowadzenie komentarza przez użytkownika.

Poniżej przedstawiono procedurę testową `testFormRenderer()` znajdującą się w zestawie testowym:

```
public function testFormRenderer()
{
   $testResult = true;
   $message = "";
   $Fm= new FeedbackManager();
   ob_start();
   $Fm->renderFeedbackForm();
   $output = ob_get_clean();
   if (strpos($output, "name='email'")===false && $testResult==true)
   list($testResult, $message) = array(false,
      "W formularzu brakuje pola o nazwie email.");
   if (strpos($output, "name='username'")===false &&
      $testResult==true)
   list($testResult, $message) = array(false,
      "W formularzu brakuje pola o nazwie username.");
   if (strpos($output, "name='subject'")===false && $testResult==true)
   list($testResult, $message) = array(false,
      "W formularzu brakuje pola o nazwie subject.");
   if (strpos($output, "name='message'")===false && $testResult==true)
   list($testResult, $message) = array(false,
      "W formularzu brakuje pola o nazwie message.");
   $this->assertTrue($testResult, $message);
   // $this->markTestIncomplete();
}
```

Oczywiste jest, że menedżer komentarzy użytkowników musi posiadać metodę o nazwie `renderFeedbackForm()`, a dane wyjściowe muszą być wygenerowane dla czterech pól o nazwach `email`, `username`, `subject` oraz `message`. Kolejny krok to utworzenie obiektu `FeedBackManager`. Poniżej przedstawiono kod klasy `FeedBackManager` zawierającej pojedynczą metodę, która generuje formularz do wprowadzenia komentarza:

```
class FeedBackManager
<?
{
   public function renderFeedbackForm()
   {
      $form = <<< END
      <form method=POST action="">
         Imię i nazwisko: <br/>
         <input type='text' name='username'><br/>
         E-mail: <br/>
         <input type='text' name='email'><br/>
         Temat: <br/>
         <input type='text' name='subject'><br/>
         <input type='submit' value='Wyślij'>
      </form>
END;
      echo $form;
   }
}
?>
```

Następnie, po uruchomieniu zestawu testowego zostaną wygenerowane następujące dane wyjściowe:

```
PHPUnit 3.0.5 by Sebastian Bergmann.
IIIIFISSSIII
Time: 00:00
There was 1 failure:
1) testFormRenderer(FeedbackTester)
Message field is not present
Failed asserting that <boolean:false> is identical to <boolean:true>.
C:\OOP_PHP5\Kody\rozdzial5\UnitTest\BlankTest.php:52
C:\OOP_PHP5\Kody\rozdzial5\UnitTest\BlankTest.php:104
C:\Program Files\Zend\ZendStudio-5.2.0\bin\php5\dummy.php:1
FAILURES!
Tests: 12, Failures: 1, Incomplete: 8, Skipped: 3.
```

Funkcja generująca formularz do wprowadzania komentarzy uległa awarii. Ale dlaczego? Warto przyjrzeć się danym wyjściowym wygenerowanym przez pakiet PHPUnit. Komentarz informuje, że w formularzu brakuje pola o nazwie `message`. Wynika z tego, że zapomniano o umieszczeniu elementu `<textarea>` o nazwie `message`. Trzeba więc wrócić do metody `rendererFeedBackForm()` i uzupełnić ją o brakujący element:

```
class FeedBackManager
{

   public function renderFeedbackForm()
   {
      $form = <<< END
      <form method=POST action="">
         Imię i nazwisko: <br/>
         <input type='text' name='username'><br/>
         E-mail: <br/>
         <input type='text' name='email'><br/>
         Temat: <br/>
         <input type='text' name='subject'><br/>
         Komentarz: <br/>
         <textarea name='message'></textarea><br/>
         <input type='submit' value='Wyślij'>
      </form>
END;
      echo $form;
   }
}
```

Do funkcji generującej formularz dodano pole komentarza. Po ponownym uruchomieniu zestawu testowego zostaną wygenerowane następujące dane wyjściowe:

```
PHPUnit 3.0.5 by Sebastian Bergmann.
IIII.ISSSIII
```

```
Time: 00:00
OK, but incomplete or skipped tests!
Tests: 12, Incomplete: 8, Skipped: 3.
```

Doskonale, test został zaliczony! Oznacza to, że utworzona funkcja generująca formularz jest prawdopodobnie pozbawiona błędów.

Przedstawiony powyżej styl tworzenia programów nosi nazwę podejścia *Test Driven Development*. Programista powinien widzieć kod programu, zanim zostanie on w rzeczywistości napisany. Stosowanie podejścia TDD pomaga w tworzeniu dobrego API oraz dobrego kodu.

Używanie wielu asercji

W jednym teście nie należy stosować zbyt wielu asercji. Jak pokazano w powyższym przykładzie, warto je podzielić na kilka części. Aby to było zupełnie jasne, poniżej przedstawiono przykład niepoprawnego testu jednostkowego:

```
public function testFormRenderer(){
   $testResult = true;
   $message = "";
   $Fm = new FeedBackManager();
   ob_start();
   $Fm->renderFeedbackForm();
   $output = ob_get_clean();
   $testResult = strpos($output, "name='email'");
   $this->assertEquals(true, $testResult,
      "W formularzu brakuje pola o nazwie email.");
   $testResult = strpos($output, "name='username'");
   $this->assertEquals(true, $testResult,
      "W formularzu brakuje pola o nazwie username.");
   $testResult = strpos($output, "name='subject'");
   $this->assertEquals(true, $testResult,
      "W formularzu brakuje pola o nazwie subject.");
   $testResult = strpos($output, "name='message'");
   $this->assertEquals(true, $testResult,
      "W formularzu brakuje pola o nazwie message.");
}
```

Powyższy kod będzie działał, ale zastosowanie wielu asercji w pojedynczej procedurze jest niedozwolone i jest sprzeczne z tworzeniem dobrego projektu programu.

PHPUnit API

Istnieje kilka różnych rodzajów asercji API dostarczanych przez pakiet PHPUnit. W przedstawionych wcześniej przykładach użyto między innymi `assertTrue()`, `assertEquals()`, `assertFalse()` oraz `assertNotNull()`. Jednak dostępnych jest ich znacznie więcej. Nazwy funkcji mówią same za siebie. Przedstawiona poniżej tabela została zaczerpnięta z książki *PHPUnit Pocket*

Guide napisanej przez Sebastiana Bergmanna i wydanej przez wydawnictwo O'Reilly. Wymieniona książka jest dostępna bezpłatnie na licencji Creative Commons License. Najnowsza jej wersja znajduje się obecnie na stronie *http://www.phpunit.de/pocket_guide/3.0/en/index.html*.

Przedstawiona poniżej tabela wymienia wszystkie dostępne w PHPUnit rodzaje funkcji warunków.

Asercja	Opis
`void assertTrue(bool $condition)`	Zwraca błąd, jeżeli wartość `$condition` wynosi `FALSE`.
`void assertTrue(bool $condition, string $message)`	Zwraca błąd określony przez `$message`, jeżeli wartość `$condition` wynosi `FALSE`.
`void assertFalse(bool $condition)`	Zwraca błąd, jeżeli wartość `$condition` wynosi `TRUE`.
`void assertFalse(bool $condition, string $message)`	Zwraca błąd określony przez `$message`, jeżeli wartość `$condition` wynosi `TRUE`.
`void assertNull(mixed $variable)`	Zwraca błąd, jeżeli wartość `$variable` nie wynosi `NULL`.
`void assertNull(mixed $variable, string $message)`	Zwraca błąd określony przez `$message`, jeżeli wartość `$variable` nie wynosi `NULL`.
`void assertNotNull(mixed $variable)`	Zwraca błąd, jeżeli wartość `$variable` wynosi `NULL`.
`void assertNotNull(mixed $variable, string $message)`	Zwraca błąd określony przez `$message`, jeżeli wartość `$variable` wynosi `NULL`.
`void assertSame(object $expected, object $actual)`	Zwraca błąd, jeżeli dwie zmienne `$expected` oraz `$actual` nie odwołują się do tego samego obiektu.
`void assertSame(object $expected, object $actual, string $message)`	Zwraca błąd określony przez `$message`, jeżeli dwie zmienne `$expected` oraz `$actual` nie odwołują się do tego samego obiektu.
`void assertSame(mixed $expected, mixed $actual)`	Zwraca błąd, jeżeli dwie zmienne `$expected` oraz `$actual` nie są tego samego rodzaju i nie mają takiej samej wartości.
`void assertSame(mixed $expected, mixed $actual, string $message)`	Zwraca błąd określony przez `$message`, jeżeli dwie zmienne `$expected` oraz `$actual` nie są tego samego rodzaju i nie mają takiej samej wartości.
`void assertNotSame(object $expected, object $actual)`	Zwraca błąd, jeżeli dwie zmienne `$expected` oraz `$actual` odwołują się do tego samego obiektu.
`void assertNotSame(object $expected, object $actual, string $message)`	Zwraca błąd określony przez `$message`, jeżeli dwie zmienne `$expected` oraz `$actual` odwołują się do tego samego obiektu.
`void assertNotSame(mixed $expected, mixed $actual)`	Zwraca błąd, jeżeli dwie zmienne `$expected` oraz `$actual` posiadają ten sam rodzaj oraz tę samą wartość.
`void assertNotSame(mixed $expected, mixed $actual, string $message)`	Zwraca błąd określony przez `$message`, jeżeli dwie zmienne `$expected` oraz `$actual` posiadają ten sam rodzaj oraz tę samą wartość.

Asercja	Opis
`void assertAttributeSame(object $expected, string $actualAttributeName, object $actualObject)`	Zwraca błąd, jeżeli `$actualObject->actualAttributeName` oraz `$actual` nie odwołują się do tego samego obiektu. Akcesorem dostępu `$actualObject->actualAttributeName` może być `public`, `protected` lub `private`.
`void assertAttributeSame(object $expected, string $actualAttributeName, object $actualObject, string $message)`	Zwraca błąd określony przez `$message`, jeżeli `$actualObject->actualAttributeName` oraz `$actual` nie odwołują się do tego samego obiektu. Akcesorem dostępu `$actualObject->actualAttributeName` może być `public`, `protected` lub `private`.
`void assertAttributeSame(mixed $expected, string $actualAttributeName, object $actualObject)`	Zwraca błąd, jeżeli `$actualObject->actualAttributeName` oraz `$actual` nie posiadają tego samego rodzaju i tej samej wartości. Akcesorem dostępu `$actualObject->actual` ↪`AttributeName` może być `public`, `protected` lub `private`.
`void assertAttributeSame(mixed $expected, string $actualAttributeName, object $actualObject, string $message)`	Zwraca błąd określony przez `$message`, jeżeli `$actual` ↪`Object->actualAttributeName` oraz `$actual` nie posiadają tego samego rodzaju i tej samej wartości. Akcesorem dostępu `$actualObject->actualAttributeName` może być `public`, `protected` lub `private`.
`void assertAttributeNotSame(object $expected, string $actualAttributeName, object $actualObject)`	Zwraca błąd, jeżeli `$actualObject->actualAttributeName` oraz `$actual` odwołują się do tego samego obiektu. Akcesorem dostępu `$actualObject->actual` ↪`AttributeName` może być `public`, `protected` lub `private`.
`void assertAttributeNotSame(object $expected, string $actualAttributeName, object $actualObject, string $message)`	Zwraca błąd określony przez `$message`, jeżeli `$actualObject->actualAttributeName` oraz `$actual` odwołują się do tego samego obiektu. Akcesorem dostępu `$actualObject->actualAttributeName` może być `public`, `protected` lub `private`.
`void assertAttributeNotSame(mixed $expected, string $actualAttributeName, object $actualObject)`	Zwraca błąd, jeżeli `$actualObject->actualAttributeName` oraz `$actual` posiadają ten sam rodzaj oraz tę samą wartość. Akcesorem dostępu `$actualObject->actual` ↪`AttributeName` może być `public`, `protected` lub `private`.
`void assertAttributeNotSame(mixed $expected, string $actualAttributeName, object $actualObject, string $message)`	Zwraca błąd określony przez `$message`, jeżeli `$actualObject->actualAttributeName` oraz `$actual` posiadają ten sam rodzaj i tę samą wartość. Akcesorem dostępu `$actualObject->actualAttributeName` może być `public`, `protected` lub `private`.
`void assertEquals(array $expected, array $actual)`	Zwraca błąd, jeżeli dwie tablice `$expected` oraz `$actual` nie są takie same.
`void assertEquals(array $expected, array $actual, string $message)`	Zwraca błąd określony przez `$message`, jeżeli dwie tablice: `$expected` oraz `$actual` nie są takie same.
`void assertNotEquals(array $expected, array $actual)`	Zwraca błąd, jeżeli dwie tablice: `$expected` oraz `$actual` są takie same.

Asercja	Opis
void assertNotEquals(array $expected, array $actual, string $message)	Zwraca błąd określony przez $message, jeżeli dwie tablice: $expected oraz $actual są takie same.
void assertEquals(float $expected, float $actual, '', float $delta = 0)	Zwraca błąd, jeżeli dwie liczby zmiennoprzecinkowe: $expected oraz $actual nie są równe, czyli różnica między wartością oczekiwaną i faktyczną jest większa niż zdefiniowana w zmiennej $delta.
void assertEquals(float $expected, float $actual, string $message, float $delta = 0)	Zwraca błąd określony przez $message, jeżeli dwie liczby zmiennoprzecinkowe: $expected oraz $actual nie są równe, czyli różnica między wartością oczekiwaną i faktyczną jest większa niż zdefiniowana w zmiennej $delta.
void assertNotEquals(float $expected, float $actual, '', float $delta = 0)	Zwraca błąd, jeżeli dwie liczby zmiennoprzecinkowe: $expected oraz $actual są równe, czyli różnica między wartością oczekiwaną i faktyczną mieści się w wartości zdefiniowanej w zmiennej $delta.
void assertNotEquals(float $expected, float $actual, string $message, float $delta = 0)	Zwraca błąd określony przez $message, jeżeli dwie liczby zmiennoprzecinkowe: $expected oraz $actual są równe, czyli różnica między wartością oczekiwaną i faktyczną mieści się w wartości zdefiniowanej w zmiennej $delta.
void assertEquals(string $expected, string $actual)	Zwraca błąd, jeżeli dwa ciągi tekstowe: $expected oraz $actual nie są takie same. Błąd zostaje zgłoszony jako delta między tymi dwoma ciągami tekstowymi.
void assertEquals(string $expected, string $actual, string $message)	Zwraca błąd określony przez $message, jeżeli dwa ciągi tekstowe: $expected oraz $actual nie są takie same. Błąd zostaje zgłoszony jako delta między tymi dwoma ciągami tekstowymi.
void assertNotEquals(string $expected, string $actual)	Zwraca błąd, jeżeli dwa ciągi tekstowe: $expected oraz $actual są takie same.
void assertNotEquals(string $expected, string $actual, string $message)	Zwraca błąd określony przez $message, jeżeli dwa ciągi tekstowe: $expected oraz $actual są takie same.
void assertEquals(mixed $expected, mixed $actual)	Zwraca błąd, jeżeli dwie zmienne: $expected oraz $actual nie są takie same.
void assertEquals(mixed $expected, mixed $actual, string $message)	Zwraca błąd określony przez $message, jeżeli dwie zmienne: $expected oraz $actual nie są takie same.
void assertNotEquals(mixed $expected, mixed $actual)	Zwraca błąd, jeżeli dwie zmienne: $expected oraz $actual są takie same.
void assertNotEquals(mixed $expected, mixed $actual, string $message)	Zwraca błąd określony przez $message, jeżeli dwie zmienne $expected oraz $actual są takie same.
void assertAttributeEquals(array $expected, string $actualAttributeName, object $actualObject)	Zwraca błąd, jeżeli dwie tablice: $expected oraz $actualObject->actualAttributeName nie są takie same. Akcesorem dostępu $actualObject->actualAttributeName może być public, protected lub private.

Asercja	Opis
void assertAttributeEquals(array $expected, string $actualAttributeName, object $actualObject, string $message)	Zwraca błąd określony przez $message, jeżeli dwie tablice $expected oraz $actualObject->actualAttributeName nie są takie same. Akcesorem dostępu $actualObject->actual ↪AttributeName może być public, protected lub private.
void assertAttributeNotEquals(array $expected, string $actualAttributeName, object $actualObject)	Zwraca błąd, jeżeli dwie tablice: $expected oraz $actual ↪Object->actualAttributeName są takie same. Akcesorem dostępu $actualObject->actualAttributeName może być public, protected lub private.
void assertAttributeNotEquals(array $expected, string $actualAttributeName, object $actualObject, string $message)	Zwraca błąd określony przez $message, jeżeli dwie tablice: $expected oraz $actualObject->actualAttributeName są takie same. Akcesorem dostępu $actualObject->actual ↪AttributeName może być public, protected lub private.
void assertAttributeEquals(float $expected, string $actualAttributeName, object $actualObject, '', float $delta = 0)	Zwraca błąd, jeżeli dwie liczby zmiennoprzecinkowe: $expected oraz $actualObject->actualAttributeName nie są równe, czyli różnica między wartością oczekiwaną i faktyczną jest większa niż zdefiniowana w zmiennej $delta. Akcesorem dostępu $actualObject->actual ↪AttributeName może być public, protected lub private.
void assertAttributeEquals(float $expected, string $actualAttributeName, object $actualObject, string $message, float $delta = 0)	Zwraca błąd określony przez $message, jeżeli dwie liczby zmiennoprzecinkowe: $expected oraz $actualObject-> ↪actualAttributeName nie są równe, czyli różnica między wartością oczekiwaną i faktyczną jest większa niż zdefiniowana w zmiennej $delta. Akcesorem dostępu $actualObject->actualAttributeName może być public, protected lub private.
void assertAttributeNotEquals(float $expected, string $actualAttributeName, object $actualObject, '', float $delta = 0)	Zwraca błąd, jeżeli dwie liczby zmiennoprzecinkowe: $expected oraz $actualObject->actualAttributeName są równe, czyli różnica między wartością oczekiwaną i faktyczną mieści się w wartości zdefiniowanej w zmiennej $delta. Akcesorem dostępu $actualObject->actual ↪AttributeName może być public, protected lub private.
void assertAttributeNotEquals(float $expected, string $actualAttributeName, object $actualObject, string $message, float $delta = 0)	Zwraca błąd określony przez $message, jeżeli dwie liczby zmiennoprzecinkowe $expected oraz $actualObject-> ↪actualAttributeName są równe, czyli różnica między wartością oczekiwaną i faktyczną mieści się w wartości zdefiniowanej w zmiennej $delta. Akcesorem dostępu $actualObject->actualAttributeName może być public, protected lub private.
void assertAttributeEquals(string $expected, string $actualAttributeName, object $actualObject)	Zwraca błąd, jeżeli dwa ciągi tekstowe: $expected oraz $actualObject->actualAttributeName nie są takie same. Błąd zostaje zgłoszony jako delta między tymi dwoma ciągami tekstowymi. Akcesorem dostępu $actualObject->actual ↪AttributeName może być public, protected lub private.

Asercja	Opis
void assertAttributeEquals(string $expected, string $actualAttributeName, object $actualObject, string $message)	Zwraca błąd określony przez $message, jeżeli dwa ciągi tekstowe: $expected oraz $actualObject->actual↪AttributeName nie są takie same. Błąd zostaje zgłoszony jako delta między tymi dwoma ciągami tekstowymi. Akcesorem dostępu $actualObject->actualAttribute↪Name może być public, protected lub private.
void assertAttributeNotEquals(string $expected, string $actualAttributeName, object $actualObject)	Zwraca błąd, jeżeli dwa ciągi tekstowe $expected oraz $actualObject->actualAttributeName są takie same. Akcesorem dostępu $actualObject->actualAttribute↪Name może być public, protected lub private.
void assertAttributeNotEquals(string $expected, string $actualAttributeName, object $actualObject, string $message)	Zwraca błąd określony przez $message, jeżeli dwa ciągi tekstowe $expected oraz $actualObject->actual↪AttributeName są takie same. Akcesorem dostępu $actualObject->actualAttributeName może być public, protected lub private.
void assertAttributeEquals(mixed $expected, string $actualAttributeName, object $actualObject)	Zwraca błąd, jeżeli dwie zmienne: $expected oraz $actualObject->actualAttributeName nie są takie same. Akcesorem dostępu $actualObject->actualAttribute↪Name może być public, protected lub private.
void assertAttributeEquals(mixed $expected, string $actualAttributeName, object $actualObject, string $message)	Zwraca błąd określony przez $message, jeżeli dwie zmienne $expected oraz $actualObject->actualAttributeName nie są takie same. Akcesorem dostępu $actualObject->actual↪AttributeName może być public, protected lub private.
void assertAttributeNotEquals(mixed $expected, string $actualAttributeName, object $actualObject)	Zwraca błąd, jeżeli dwie zmienne: $expected oraz $actualObject->actualAttributeName są takie same. Akcesorem dostępu $actualObject->actualAttribute↪Name może być public, protected lub private.
void assertAttributeNotEquals(mixed $expected, string $actualAttributeName, object $actualObject, string $message)	Zwraca błąd określony przez $message, jeżeli dwie zmienne: $expected oraz $actualObject->actualAttributeName są takie same. Akcesorem dostępu $actualObject->actual↪AttributeName może być public, protected lub private.
void assertContains(mixed $needle, array $expected)	Zwraca błąd, jeżeli $needle nie jest elementem tablicy $expected.
void assertContains(mixed $needle, array $expected, string $message)	Zwraca błąd określony przez $message, jeżeli $needle nie jest elementem tablicy $expected.
void assertNotContains(mixed $needle, array $expected)	Zwraca błąd, jeżeli $needle jest elementem tablicy $expected.
void assertNotContains(mixed $needle, array $expected, string $message)	Zwraca błąd określony przez $message, jeżeli $needle jest elementem tablicy $expected.
void assertContains(mixed $needle, Iterator $expected)	Zwraca błąd, jeżeli $needle nie jest elementem interfejsu $expected.

Asercja	Opis
void assertContains(mixed $needle, Iterator $expected, string $message)	Zwraca błąd określony przez $message, jeżeli $needle nie jest elementem interfejsu $expected.
void assertNotContains(mixed $needle, Iterator $expected)	Zwraca błąd, jeżeli $needle jest elementem interfejsu $expected.
void assertNotContains(mixed $needle, Iterator $expected, string $message)	Zwraca błąd określony przez $message, jeżeli $needle jest elementem interfejsu $expected.
void assertContains(string $needle, string $expected)	Zwraca błąd, jeżeli $needle nie jest podciągiem ciągu tekstowego $expected.
void assertContains(string $needle, string $expected, string $message)	Zwraca błąd określony przez $message, jeżeli $needle nie jest podciągiem ciągu tekstowego $expected.
void assertNotContains(string $needle, string $expected)	Zwraca błąd, jeżeli $needle jest podciągiem ciągu tekstowego $expected.
void assertNotContains(string $needle, string $expected, string $message)	Zwraca błąd określony przez $message, jeżeli $needle jest podciągiem ciągu tekstowego $expected.
void assertAttributeContains(mixed $needle, string $actualAttributeName, object $actualObject)	Zwraca błąd, jeżeli $needle nie jest elementem $actualObject->actualAttributeName, który może być tablicą, ciągiem tekstowym lub obiektem implementującym interfejs Iterator. Akcesorem dostępu $actualObject-> ↪actualAttributeName może być public, protected lub private.
void assertAttributeContains(mixed $needle, string $actualAttributeName, object $actualObject, string $message)	Zwraca błąd określony przez $message, jeżeli $needle nie jest elementem $actualObject->actualAttributeName, który może być tablicą, ciągiem tekstowym lub obiektem implementującym interfejs Iterator. Akcesorem dostępu $actualObject->actualAttributeName może być public, protected lub private.
void assertAttributeNotContains(mixed $needle, string $actualAttributeName, object $actualObject)	Zwraca błąd, jeżeli $needle jest elementem $actual ↪Object->actualAttributeName, który może być tablicą, ciągiem tekstowym lub obiektem implementującym interfejs Iterator. Akcesorem dostępu $actualObject-> ↪actualAttributeName może być public, protected lub private.
void assertAttributeNotContains(mixed $needle, string $actualAttributeName, object $actualObject, string $message)	Zwraca błąd określony przez $message, jeżeli $needle jest elementem $actualObject->actualAttributeName, który może być tablicą, ciągiem tekstowym lub obiektem implementującym interfejs Iterator. Akcesorem dostępu $actualObject->actualAttributeName może być public, protected lub private.
void assertRegExp(string $pattern, string $string)	Zwraca błąd, jeżeli ciąg tekstowy $string nie został dopasowany do wyrażenia regularnego $pattern.

Asercja	Opis
void assertRegExp(string $pattern, string $string, string $message)	Zwraca błąd określony przez $message, jeżeli ciąg tekstowy $string nie został dopasowany do wyrażenia regularnego $pattern.
void assertNotRegExp(string $pattern, string $string)	Zwraca błąd, jeżeli ciąg tekstowy $string został dopasowany do wyrażenia regularnego $pattern.
void assertNotRegExp(string $pattern, string $string, string $message)	Zwraca błąd określony przez $message, jeżeli ciąg tekstowy $string został dopasowany do wyrażenia regularnego $pattern.
void assertType(string $expected, mixed $actual)	Zwraca błąd, jeżeli zmienna $actual nie jest rodzaju $expected.
void assertType(string $expected, mixed $actual, string $message)	Zwraca błąd określony przez $message, jeżeli zmienna $actual nie jest rodzaju $expected.
void assertNotType(string $expected, mixed $actual)	Zwraca błąd, jeżeli zmienna $actual jest rodzaju $expected.
void assertNotType(string $expected, mixed $actual, string $message)	Zwraca błąd określony przez $message, jeżeli zmienna $actual jest rodzaju $expected.
void assertFileExists(string $filename)	Zwraca błąd, jeżeli plik wskazywany przez $filename nie istnieje.
void assertFileExists(string $filename, string $message)	Zwraca błąd określony przez $message, jeżeli plik wskazywany przez $filename nie istnieje.
void assertFileNotExists(string $filename)	Zwraca błąd, jeżeli plik wskazywany przez $filename istnieje.
void assertFileNotExists(string $filename, string $message)	Zwraca błąd określony przez $message, jeżeli plik wskazywany przez $filename istnieje.
void assertObjectHasAttribute(string $attributeName, object $object)	Zwraca błąd, jeżeli $object->attributeName nie istnieje.
void assertObjectHasAttribute(string $attributeName, object $object, string $message)	Zwraca błąd określony przez $message, jeżeli $object->↪attributeName nie istnieje.
void assertObjectNotHasAttribute(string $attributeName, object $object)	Zwraca błąd, jeżeli $object->attributeName istnieje.
void assertObjectNotHasAttribute(string $attributeName, object $object, string $message)	Zwraca błąd określony przez $message, jeżeli $object->↪attributeName istnieje.

Podsumowanie

W rozdziale skoncentrowaliśmy się na dwóch bardzo ważnych funkcjach programowania zorientowanego obiektowo w PHP. Pierwsza z nich to refleksja, która jest obecna w większości popularnych języków programowania, takich jak Java, Ruby i Python. Druga z omówionych funkcji to testy jednostkowe, które stanowią istotny element tworzenia dobrego, stabilnego i łatwego w zarządzaniu projektu programu. W rozdziale skupiliśmy się na bardzo popularnym pakiecie PHPUunit, który jest portem pakietu JUnit dla języka PHP. Jeżeli czytelnik zastosuje wskazówki i koncepcje przedstawione w rozdziale, to będzie w stanie samodzielnie opracowywać poprawne testy jednostkowe.

W następnym rozdziale zostaną przedstawione niektóre obiekty wbudowane w PHP służące do upraszczania pracy programistom. Zaprezentowane będzie także ogromne repozytorium obiektów o nazwie Standard PHP Library, czyli w skrócie SPL. Warto też samodzielnie spróbować utworzyć kilka testów jednostkowych.

Biblioteka Standard PHP Library

Język PHP w wersji 5 znacznie usprawnił pracę programistom poprzez zaoferowanie im dużej liczby wbudowanych obiektów. Te obiekty ułatwiają programistom wykonywanie zadań oraz oszczędzają wielu nieprzespanych nocy. Wprowadzona w PHP 5 biblioteka **Standard PHP Library** (SPL) jest zestawem obiektów przeznaczonych dla programistów PHP. Wymieniona biblioteka zawiera dużą liczbę obiektów i interfejsów, które ułatwiają proces tworzenia programów. W rozdziale zostaną przedstawione niektóre z elementów tej biblioteki oraz sposób ich wykorzystania we własnych programach.

Obiekty dostępne w SPL

Obiekty dostępne w bibliotece SPL można określić poprzez uruchomienie przedstawionego poniżej fragmentu kodu:

```
<?php
// Prosta pętla foreach(), która pobiera nazwy klas z biblioteki SPL.
foreach(spl_classes() as $key=>$value)
{
   echo $value."\n";
}
?>
```

Po uruchomieniu powyższego kodu zostaną wyświetlone wszystkie klasy SPL dostępne w bieżącej instalacji środowiska PHP:

```
AppendIterator
ArrayIterator
ArrayObject
BadFunctionCallException
BadMethodCallException
CachingIterator
Countable
DirectoryIterator
DomainException
EmptyIterator
FilterIterator
InfiniteIterator
InvalidArgumentException
IteratorIterator
LengthException
LimitIterator
LogicException
NoRewindIterator
OuterIterator
OutOfBoundsException
OutOfRangeException
OverflowException
ParentIterator
RangeException
RecursiveArrayIterator
RecursiveCachingIterator
RecursiveDirectoryIterator
RecursiveFilterIterator
RecursiveIterator
RecursiveIteratorIterator
RuntimeException
SeekableIterator
SimpleXMLIterator
SplFileObject
SplObjectStorage
SplObserver
SplSubject
UnderflowException
UnexpectedValueException
```

Klasa ArrayObject

ArrayObject to doskonały obiekt wprowadzony do SPL w celu ułatwienia operacji na tablicach oraz wzbogacenia możliwości zwykłych tablic PHP. Programista może używać obiektu ArrayObject jako zwykłej tablicy, a następnie stopniowo dodawać do niej nowe funkcje i możliwości. W podrozdziale zostaną przedstawione właściwości i metody dostępne w tym obiekcie.

Ponadto będzie zaprezentowany projekt rozszerzonego obiektu ArrayObject ułatwiający dostęp do tablicy.

Poniżej przedstawiono metody publiczne klasy ArrayObject:

- __construct ($array, $flags=0, $iterator_class="ArrayIterator")
- append($value)
- asort()
- count()
- exchangeArray($array)
- getArrayCopy()
- getFlags()
- getIterator()
- getIteratorClass()
- ksort()
- natcasesort()
- natsort()
- offsetExists($index)
- offsetGet($index)
- offsetSet($index, $newval)
- offsetUnset($index)
- setFlags($flags)
- setIteratorClass($itertor_class)
- uasort(mixed cmp_function)
- uksort(mixed cmp_function)

Wiele powyższych funkcji jest również dostępnych podczas przeprowadzania operacji na zwykłej tablicy. Poniżej znajduje się krótki opis niektórych z wymienionych funkcji (tabela 6.1.), który ma na celu pokazanie różnic między nimi a funkcjami operującymi na zwykłej tablicy.

W przedstawionym poniżej interesującym fragmencie kodu klasa ArrayObject została rozszerzona w celu utworzenia na jej podstawie znacznie elastyczniejszego obiektu ExtendedArrayObject. Nowy obiekt pozwala na dużo łatwiejsze poruszanie się po zbiorach.

```
<?
class ExtendedArrayObject extends ArrayObject
{
   private $_array;
   public function __construct()
   {
      if (is_array(func_get_arg(0)))
         $this->_array = func_get_arg(0);
      else
         $this->_array = func_get_args();
```

Tabela 6.1. Różnice między funkcjami

Funkcja	Opis
exchangeArray($array)	Ta funkcja powoduje zastąpienie wewnętrznej tablicy obiektu ArrayObject nowym obiektem. Wartością zwrotną jest zastąpiony obiekt.
getArrayCopy()	Ta funkcja zwraca kopię wewnętrznej tablicy z obiektu ArrayObject.
getIteratorClass()	Ta funkcja zwraca nazwę klasy Iterator. Jeżeli dla danego obiektu nie została wyraźnie ustawiona inna klasa Iterator, to wartością zwrotną zawsze będzie ArrayIterator.
setIteratorClass()	Za pomocą tej funkcji można ustawić obiektowi tablicy dowolną klasę Iterator. Istnieje jednak jedno ograniczenie — ta klasa Iterator musi rozszerzać klasę ArrayIterator.
setFlags()	Funkcja służy do ustawiania flag bitowych obiektowi ArrayObject. Dostępne flagi to 0 i 1. Flaga 0 oznacza, że właściwości obiektu zachowują swoje zwykłe funkcje, kiedy są pobierane jako lista (var_dump(), foreach(), itd.). Natomiast flaga 1 oznacza, że indeksy tablicy mogą być dostępne jako właściwości w trybie odczytu i zapisu.

```
        parent::__construct($this->_array);
    }
    public function each($callback)
    {
      $iterator = $this->getIterator();
      while($iterator->valid())
      {
        $callback($iterator->current());
        $iterator->next();
      }
    }
    public function without()
    {
      $args = func_get_args();
      return array_values(array_diff($this->_array,$args));
    }
    public function first()
    {
      return $this->_array[0];
    }
    public function indexOf($value)
    {
      return array_search($value,$this->_array);
    }
    public function inspect()
    {
      echo "<pre>".print_r($this->_array, true)."</pre>";
    }
```

```
    public function last()
    {
        return $this->_array[count($this->_array)-1];
    }
    public function reverse($applyToSelf=false)
    {
        if (!$applyToSelf)
            return array_reverse($this->_array);
        else
        {
            $_array = array_reverse($this->_array);
            $this->_array = $_array;
            parent::__construct($this->_array);
            return $this->_array;
        }
    }
    public function shift()
    {
        $_element = array_shift($this->_array);
        parent::__construct($this->_array);
        return $_element;
    }
    public function pop()
    {
        $_element = array_pop($this->_array);
        parent::__construct($this->_array);
        return $_element;
    }
}
?>
```

Następnie utworzoną klasę można wykorzystać we własnym skrypcie, na przykład w taki sposób:

```
<?
include_once("ExtendedArrayObject.class.php");
function speak($value)
{
    echo $value;
}
$newArray = new ExtendedArrayObject(array(1,2,3,4,5,6));
/* Ewentualnie można użyć innego zapisu: */
$newArray = new ExtendedArrayObject(1,2,3,4,5,6);
$newArray->each(speak); // Przekazanie wywołania do pętli.
print_r($newArray->without(2,3,4)); // Odejmowanie.
$newArray->inspect(); // Eleganckie wyświetlenie tablicy.
echo $newArray->indexOf(5); // Umiejscowienie elementu względem wartości.
print_r($newArray->reverse()); // Odwrócenie tablicy.
print_r($newArray->reverse(true)); /* Sama zmiana tablicy. */
```

```
echo $newArray->shift();// Przesunięcie pierwszej wartości tablicy,
                        // a następnie jej zwrócenie.
echo $newArray->pop(); // Usunięcie ostatniego elementu tablicy.
echo $newArray->last();
echo $newArray->first(); // Pierwszy element tablicy.
?>
```

Po uruchomieniu powyższego skryptu zostaną wygenerowane następujące dane wyjściowe:

```
123456
Array
(
    [0] => 1
    [1] => 5
    [2] => 6
)
Array
(
    [0] => 1
    [1] => 2
    [2] => 3
    [3] => 4
    [4] => 5
    [5] => 6
)
4
Array
(
    [0] => 6
    [1] => 5
    [2] => 4
    [3] => 3
    [4] => 2
    [5] => 1
)
Array
(
    [0] => 6
    [1] => 5
    [2] => 4
    [3] => 3
    [4] => 2
    [5] => 1
)
6125
```

Klasa ArrayIterator

Obiekt ArrayIterator służy do przechodzenia kolejno przez elementy tablicy. Dostępny w bibliotece SPL obiekt ArrayIterator posiada wbudowany Iterator, do którego można uzyskać dostęp za pomocą funkcji getIterator(). Obiekt ArrayIterator można wykorzystać w celu przejścia przez dowolny zbiór. Poniżej przedstawiono przykład jego użycia:

```
<?php
$fruits = array(
   "jabłko" => "pyszność",
   "pomarańcza" => "a ha, doskonale",
   "winogrono" => "wow, uwielbiam je!",
   "śliwka" => "nie, dziękuję"
);
$obj = new ArrayObject( $fruits );
$it = $obj->getIterator();
// Przez ile elementów tablicy nastąpi przejście?
echo "Przejście przez: " . $obj->count() . " elementy.\n";
// Przejście przez elementy obiektu ArrayObject:
while( $it->valid() )
{
   echo $it->key() . "=" . $it->current() . "\n";
   $it->next();
}
?>
```

Po uruchomieniu powyższego kodu zostaną wyświetlone następujące dane wyjściowe:

```
Przejście przez 4 elementy.
jabłko=pyszność
pomarańcza=a ha, doskonale
winogrono=wow, uwielbiam je!
śliwka=nie, dziękuję
```

Warto wspomnieć, że Iterator implementuje również interfejs IteratorAggregator. Dlatego też można go nawet użyć w pętli foreach():

```
<?php
$fruits = array(
   "jabłko" => "pyszność",
   "pomarańcza" => "a ha, doskonale",
   "winogrono" => "wow, uwielbiam je!",
   "śliwka" => "nie, dziękuję"
);
$obj = new ArrayObject( $fruits );
$it = $obj->getIterator();
// Przez ile elementów tablicy nastąpi przejście?
echo " Przejście przez: " . $obj->count() . " elementy.\n";
// Przejście przez elementy obiektu ArrayObject:
```

```
foreach ($it as $key=>$val)
echo $key.":".$val."\n";
?>
```

Dane wyjściowe otrzymane po uruchomieniu powyższego kodu będą takie same jak uzyskane w poprzednim przykładzie.

Jeżeli programista chce zaimplementować `Iterator` we własnym zbiorze, to warto powrócić do rozdziału 3. Przykład implementacji interfejsu `IteratorAggregator` został przedstawiony w poniższym fragmencie kodu:

```
<?php
class MyArray implements IteratorAggregate
{
   private $arr;
   public function __construct()
   {
      $this->arr = array();
   }
   public function add( $key, $value )
   {
      if( $this->check( $key, $value ) )
     {
        $this->arr[$key] = $value;
     }
   }
   private function check( $key, $value )
   {
      if( $key == $value )
      {
         return false;
      }
      return true;
   }

   public function getIterator()
   {
      return new ArrayIterator( $this->arr );
   }
}
?>
```

Należy zwrócić uwagę, że jeżeli klucze i wartości są takie same, to w trakcie iteracji wartość nie zostanie zwrócona. Taką możliwość można wykorzystać w następujący sposób:

```
<?php
$obj = new MyArray();
$obj->add( "redhat","www.redhat.com" );
$obj->add( "php", "php" );
$it = $obj->getIterator();
```

```
while( $it->valid() )
{
   echo $it->key() . "=" . $it->current() . "\n";
   $it->next();
}
?>
```

Dane wyjściowe powyższego fragmentu kodu są następujące:

```
redhat=www.redhat.com
```

Klasa DirectoryIterator

Kolejną bardzo interesującą klasą, która została wprowadzona w PHP 5, jest `DirectoryIterator`. Wymieniony obiekt pozwala programiście na przejście przez wszystkie elementy znajdujące się w katalogu (które po prostu są plikami). Za pomocą obiektu `DirectoryIterator` można również pobierać różne atrybuty pliku.

W podręczniku PHP obiekt `DirectoryIterator` nie został dobrze udokumentowany. Dlatego też, jeżeli programista chce dokładnie poznać jego strukturę oraz obsługiwane właściwości i metody, należy w tym celu użyć klasy `ReflectionClass`. Czytelnik powinien pamiętać z lektury poprzedniego rozdziału sposób używania klasy `ReflectionClass`. Dla przypomnienia, przykład jej użycia został przedstawiony poniżej:

```
<?php
ReflectionClass::export(DirectoryIterator);
?>
```

Otrzymane dane wyjściowe są następujące:

```
Class [ <internal:SPL> <iterateable> class DirectoryIterator
                      implements Iterator, Traversable ]
{
  - Constants [0] { }
  - Static properties [0] {  }
  - Static methods [0] {  }
  - Properties [0] {  }
  - Methods [27]
{
    Method [ <internal> <ctor> public method __construct ]
{
      - Parameters [1]
{
        Parameter #0 [ <required> $path ]
      }
    }
    Method [ <internal> public method rewind ] {     }
    Method [ <internal> public method valid ] {     }
```

```
        Method [ <internal> public method key ] {   }
        Method [ <internal> public method current ] {   }
        Method [ <internal> public method next ] {   }
        Method [ <internal> public method getPath ] {   }
        Method [ <internal> public method getFilename ] {   }
        Method [ <internal> public method getPathname ] {   }
        Method [ <internal> public method getPerms ] {   }
        Method [ <internal> public method getInode ] {   }
        Method [ <internal> public method getSize ] {   }
        Method [ <internal> public method getOwner ] {   }
        Method [ <internal> public method getGroup ] {   }
        Method [ <internal> public method getATime ] {   }
        Method [ <internal> public method getMTime ] {   }
        Method [ <internal> public method getCTime ] {   }
        Method [ <internal> public method getType ] {   }
        Method [ <internal> public method isWritable ] {   }
        Method [ <internal> public method isReadable ] {   }
        Method [ <internal> public method isExecutable ] {   }
        Method [ <internal> public method isFile ] {   }
        Method [ <internal> public method isDir ] {   }
        Method [ <internal> public method isLink ] {   }
        Method [ <internal> public method isDot ] {   }
        Method [ <internal> public method openFile ]
            {
          - Parameters [3] {
            Parameter #0 [ <optional> $open_mode ]
            Parameter #1 [ <optional> $use_include_path ]
            Parameter #2 [ <optional> $context ]
            }
          }
        Method [ <internal> public method __toString ] {   }
    }
}
```

Dane wyjściowe wskazują, że obiekt `DirectoryIterator` oferuje dużą liczbę użytecznych metod. Kolejny fragment kodu przedstawia skrypt, którego zadaniem jest zbadanie określonego napędu, a następnie wyświetlenie struktury jego plików i katalogów. Na rysunku 6.1 pokazano przykład struktury katalogu *spket* na dysku twardym C.

Po uruchomieniu poniższego kodu na ekranie zostaną wyświetlone pliki i podkatalogi znajdujące się we wskazanym katalogu:

```
<?
$DI = new DirectoryIterator("c:/spket");
foreach ($DI as $file)
{
   echo $file."\n";
}
?>
```

spket.exe

Configuration Settings

spket.ini

ECLIPSEPRODUCT File

.eclipseproduct

Executable Jar File

startup.jar

File Folder

plugins
features
readme
configuration

Firefox Document

epl-v10.html
notice.html

Rysunek 6.1. Przykład struktury wskazanego katalogu na dysku twardym

Dane wyjściowe powyższego skryptu są następujące:

```
.
..
plugins
features
readme
.eclipseproduct
epl-v10.html
notice.html
startup.jar
configuration
spket.exe
spket.ini
```

Jednak zaprezentowane dane wyjściowe nie mają sensu. Czy można wskazać, które elementy są katalogami, a które plikami? To jest dość trudne, dlatego kod zostanie zmodyfikowany w taki sposób, aby ułatwić identyfikację wyświetlonych elementów:

```
<?
$DI = new DirectoryIterator("c:/spket");
$directories = array();
```

```
$files = array();
foreach ($DI as $file)
{
   $filename = $file->getFilename();
   if ($file->isDir()){
      if(strpos($filename,".")===false)
      $directories[] = $filename;
   }
   else
   $files[] = $filename;
}
echo "Katalogi\n";
print_r($directories);
echo "\nPliki\n";
print_r($files);
?>
```

Po uruchomieniu zmodyfikowanego kodu zostaną wyświetlone następujące dane wyjściowe:

```
Katalogi
Array
(
   [1] => plugins
   [2] => features
   [3] => readme
   [4] => configuration
)
Pliki
Array
(
   [0] => .eclipseproduct
   [1] => epl-v10.html
   [2] => notice.html
   [3] => startup.jar
   [4] => spket.exe
   [5] => spket.ini
)
```

Na tym etapie może powstać pytanie, w jaki sposób można odróżnić skrót do pliku? Odpowiedź jest bardzo prosta. Do wykrywania skrótów służy funkcja `isLink()`, czyli należy użyć polecenia `$file->isLink()`.

W tabeli 6.2 przedstawiono kilka innych, równie użytecznych metod obiektu `DirectoryIterator`.

Znaczenie innych metod jest łatwe do odgadnięcia, więc nie zostaną tutaj przedstawione. Należy pamiętać jeszcze o jednej kwestii — w komputerach działających pod kontrolą 32- bitowego Windows wartością zwrotną metod `getInode()`, `getOwner()` i `getGroup()` jest `0`.

Tabela 6.2. Kilka użytecznych metod obiektu DirectoryIterator

Metoda	Opis
`getPathname()`	Wartością zwrotną jest bezwzględna ścieżka dostępu (wraz z nazwą pliku) danego pliku.
`getSize()`	Wartością zwrotną jest wielkość pliku wyrażona w bajtach.
`getOwner()`	Wartością zwrotną jest identyfikator właściciela pliku.
`getATime()`	Wartością zwrotną jest znacznik czasu określający godzinę ostatniego dostępu do pliku.
`getMTime()`	Wartością zwrotną jest znacznik czasu określający godzinę ostatniej modyfikacji pliku.
`getCTime()`	Wartością zwrotną jest znacznik czasu określający godzinę utworzenia pliku.
`getType()`	Wartością zwrotną jest ciąg tekstowy albo „file" albo „dir" albo „link".

Klasa RecursiveDirectoryIterator

Jakie jest przeznaczenie obiektu `RecursiveDirectoryIterator`? Czytelnik zapewne pamięta poprzedni przykład, którego celem było wyświetlenie listy tylko plików i katalogów. Można zadać sobie pytanie, w jaki sposób bez implementacji rekurencji wyświetlić listę wszystkich podkatalogów danego katalogu? Kluczem do rozwiązania tego rodzaju zadania jest obiekt `RecursiveDirectoryIterator`.

W celu osiągnięcia jeszcze lepszych wyników wymieniony obiekt może być użyty razem z `RecursiveIteratorIterator` do implementacji rekurencji. Przedstawiony poniżej fragment kodu powoduje przejście przez całą strukturę danego katalogu (niezależnie od stopnia jego zagnieżdżenia):

```
<?php
// Utworzenie nowego iteratora:
$it = new RecursiveIteratorIterator(new RecursiveDirectoryIterator('c:/spket'));
foreach( $it as $key=>$file )
{
   echo $key."=>".$file."\n";
}
?>
```

Dane wyjściowe powyższego skryptu są następujące:

```
c:/spket/epl-v10.html=>epl-v10.html
c:/spket/notice.html=>notice.html
c:/spket/startup.jar=>startup.jar
c:/spket/configuration/config.ini=>config.ini
c:/spket/configuration/org.eclipse.osgi/.manager/
                                .fileTableLock=>.fileTableLock
c:/spket/configuration/org.eclipse.osgi/.manager/
                                .fileTable.4=>.fileTable.4
```

```
c:/spket/configuration/org.eclipse.osgi/.manager/
                                        .fileTable.5=>.fileTable.5
c:/spket/configuration/org.eclipse.osgi/bundles/4/1/.cp/
                    swt-win32-3236.dll=>swt-win32-3236.dll
c:/spket/configuration/org.eclipse.osgi/bundles/4/1/.cp/
                    swt-gdip-win32-3236.dll=>swt-gdip-win32-3236.dll
c:/spket/configuration/org.eclipse.osgi/bundles/48/1/.cp/os/win32/
                    x86/localfile_1_0_0.dll=>localfile_1_0_0.dll
c:/spket/configuration/org.eclipse.osgi/bundles/69/1/.cp/os/win32/
                    x86/monitor.dll=>monitor.dll
c:/spket/spket.exe=>spket.exe
c:/spket/spket.ini=>spket.ini
.........
```

W tym miejscu czytelnik może zadawać sobie pytanie, jaki jest cel wyświetlenia wszystkich bezużytecznych plików? Chodzi po prostu o spojrzenie na strukturę katalogu i poznanie sposobu, w jaki można pobierać całe nazwy plików wraz z ich ścieżkami dostępu jako kluczami.

Klasa RecursiveIteratorIterator

Aby w sposób rekurencyjny przejść przez cały zbiór, można wykorzystać obiekt znajdujący się w bibliotece SPL. Warto więc zapoznać się z kolejnym fragmentem kodu i zrozumieć, jak przedstawione rozwiązanie może być efektywnie stosowane w codziennym programowaniu. Zarówno w poprzednich podrozdziałach, jak i kolejnych znalazły się skrypty używające klasy `RecursiveIteratorIterator`. Dlatego też w bieżącym podrozdziale nie zostaną zaprezentowane żadne przykłady jej użycia.

Klasa AppendIterator

Jeżeli zachodzi potrzeba użycia zbioru iteratorów w celu przejścia przez nie, to klasa `AppendIterator` może być dobrym rozwiązaniem takiego zadania. Ten obiekt powoduje zapisanie w zbiorze wszystkich iteratorów, a następnie jednocześnie przez nie przechodzi.

W poniższym fragmencie kodu zaprezentowano użycie obiektu `AppendIterator` w celu przejścia przez zbiór iteratorów:

```
<?
class Post
{
   public $id;
   public $title;
```

```
    function __construct($title, $id)
    {
        $this->title = $title;
        $this->id = $id;
    }
}
class Comment{
    public $content;
    public $post_id;
    function __construct($content, $post_id)
    {
        $this->content = $content;
        $this->post_id = $post_id;
    }
}
$posts = new ArrayObject();
$comments = new ArrayObject();
$posts->append(new post("Post 1",1));
$posts->append(new post("Post 2",2));
$comments->append(new Comment("Komentarz 1",1));
$comments->append(new Comment("Komentarz 2",1));
$comments->append(new Comment("Komentarz 3",2));
$comments->append(new Comment("Komentarz 4",2));
$a = new AppendIterator();
$a->append($posts->getIterator());
$a->append($comments->getIterator());
// print_r($a->getInnerIterator());
foreach ($a as $key=>$val)
{
    if ($val instanceof post)
    echo "tytuł = {$val->title}\n";
    else if ($val instanceof Comment )
    echo "treść = {$val->content}\n";
}
?>
```

Dane wyjściowe powyższego fragmentu kodu są następujące:

```
tytuł = Post 1
tytuł = Post 2
treść = Komentarz 1
treść = Komentarz 2
treść = Komentarz 3
treść = Komentarz 4
```

Klasa FilterIterator

Jak sama nazwa klasy wskazuje, jej celem jest filtrowanie wyników iteracji, tak aby można było pobrać jedynie wymagane dane wyjściowe. Ten iterator jest bardzo użyteczny podczas wykonywania iteracji połączonej z filtrowaniem.

Klasa FilterIterator udostępnia dwie dodatkowe metody w porównaniu do zwykłej klasy Iterator. Pierwsza z nich to accept(), która jest wywoływana w trakcie każdej wewnętrznej iteracji, gdy klucz wskazuje na konieczność zastosowanie filtra. Natomiast druga metoda — getInnerIterator() zwraca bieżący iterator wewnątrz obiektu FilterIterator.

W przedstawionym poniżej fragmencie kodu klasa FilterIterator jest używana do filtrowania danych podczas przechodzenia przez zbiór.

```
<?php
class GenderFilter extends FilterIterator
{
   private $GenderFilter;
   public function __construct( Iterator $it, $gender="F" )
   {
      parent::__construct( $it );
      $this->GenderFilter = $gender;
   }
   // Klucz wskazuje na konieczność zastosowania filtra.
   public function accept()
   {
      $person = $this->getInnerIterator()->current();
      if( $person['sex'] == $this->GenderFilter )
      {
         return TRUE;
      }
      return FALSE;
   }
}
$arr = array(
   array("name"=>"John Abraham", "sex"=>"M", "age"=>27),
   array("name"=>"Lily Bernard", "sex"=>"F", "age"=>37),
   array("name"=>"Ayesha Siddika", "sex"=>"F", "age"=>26),
   array("name"=>"Afif", "sex"=>"M", "age"=>2)
);
$persons = new ArrayObject( $arr );
$iterator = new GenderFilter( $persons->getIterator() );
foreach( $iterator as $person )
{
   echo $person['name'] . "\n";
}
echo str_repeat("-",30)."\n";
$persons = new ArrayObject( $arr );
```

```
$iterator = new GenderFilter( $persons->getIterator() ,"M");
foreach( $iterator as $person )
{
   echo $person['name'] . "\n";
}
?>
```

Po uruchomieniu przedstawionego kodu zostaną wyświetlone następujące dane wyjściowe:

```
Lily Bernard
Ayesha Siddika
------------------------------
John Abraham
Afif
```

Czytelnik zapewne zgodzi się, że jest to bardzo interesujące rozwiązanie? Ale w jaki sposób osiągnięto taki wynik? Proces filtrowania jest przeprowadzany w funkcji `accept()`:

```
public function accept()
{
   $person = $this->getInnerIterator()->current();
   if( $person['sex'] == $this->GenderFilter )
   {
      return TRUE;
   }
   return FALSE;
}
```

Klasa LimitIterator

Co zrobić w sytuacji, gdy zachodzi potrzeba określenia punktu początkowego, od którego rozpocznie się wykonywanie iteracji? Jak zdefiniować liczbę iteracji, które mają zostać wykonane? Odpowiedzią na te pytania jest zastosowanie klasy `LimitIterator`.

Obiekt `LimitIterator` pobiera trzy parametry. Pierwszy z nich to zwykły `Iterator`. Drugi parametr określa punkt początkowy, od którego rozpocznie się iteracja. Natomiast ostatni, trzeci parametr, to liczba przeprowadzanych iteracji. Użycie obiektu `LimitIterator` przedstawiono w poniższym fragmencie kodu:

```
<?
$arr = array(
   array("name"=>"John Abraham", "sex"=>"M", "age"=>27),
   array("name"=>"Lily Bernard", "sex"=>"F", "age"=>37),
   array("name"=>"Ayesha Siddika", "sex"=>"F", "age"=>26),
   array("name"=>"Afif", "sex"=>"M", "age"=>2)
);
$persons = new ArrayObject($arr);
$LI = new LimitIterator($persons->getIterator(),1,2);
```

```
foreach ($LI as $person) {
   echo $person['name']."\n";
}
?>
```

Wygenerowane przez powyższy kod dane wyjściowe są następujące:

```
Lily Bernard
Ayesha Siddika
```

Klasa NoRewindIterator

Ta klasa to kolejny `Iterator`, na którym można wywołać metodę `rewind()`. Oznacza to, że `Iterator` porusza się tylko do przodu i zbiór może być odczytany tylko jednokrotnie. Warto spojrzeć na poniższą strukturę. Po wykonaniu zaprezentowanego kodu na ekranie zostaną wyświetlone metody obsługiwane przez `Iteratora`:

```
<?
print_r(get_class_methods(NoRewindIterator));
// Do wyświetlenie tych metod można także zastosować Refelection API.
?>
```

Dane wyjściowe powyższego kodu wyświetlą następujące metody:

```
Array
(
   [0] => __construct
   [1] => rewind
   [2] => valid
   [3] => key
   [4] => current
   [5] => next
   [6] => getInnerIterator
)
```

Zaskakujący jest fakt, że pomimo braku metody `rewind()` jest ona wyświetlana, nieprawdaż? Ogólnie rzecz biorąc, wymieniona metoda nie posiada implementacji, czyli po prostu jest pusta. Jedna została umieszczona w obiekcie, ponieważ implementuje on interfejs `Iterator`. Brak implementacji tej funkcji powoduje, że nie można jej używać.

```
<?
$arr = array(
   array("name"=>"John Abraham", "sex"=>"M", "age"=>27),
   array("name"=>"Lily Bernard", "sex"=>"F", "age"=>37),
   array("name"=>"Ayesha Siddika", "sex"=>"F", "age"=>26),
   array("name"=>"Afif", "sex"=>"M", "age"=>2)
);
$persons = new ArrayObject($arr);
```

```
$LI = new NoRewindIterator($persons->getIterator());
foreach ($LI as $person) {
   echo $person['name']."\n";
   $LI->rewind();
}
?>
```

Jeżeli metoda `rewind()` działałaby zgodnie z oczekiwaniami, to kod działałby w nieskończonej pętli. W praktyce dane wyjściowe powyższego kodu są następujące:

```
John Abraham
Lily Bernard
Ayesha Siddika
Afif
```

Interfejs SeekableIterator

To jest interfejs znajdujący się w bibliotece SPL, który w rzeczywistości jest wewnętrznie implementowany przez wiele klas `Iterator`. Jeżeli interfejs `SeekableIterator` zostanie zaimplementowany, to wewnątrz tablicy można wykonać metodę `seek()`.

Warto zapoznać się z poniższym fragmentem kodu, w którym zaimplementowano interfejs `SeekableIterator` w celu dostarczenia możliwości przeszukiwania zbioru:

```
<?
$arr = array(
   array("name"=>"John Abraham", "sex"=>"M", "age"=>27),
   array("name"=>"Lily Bernard", "sex"=>"F", "age"=>37),
   array("name"=>"Ayesha Siddika", "sex"=>"F", "age"=>26),
   array("name"=>"Afif", "sex"=>"M", "age"=>2)
);
$persons = new ArrayObject($arr);
$it = $persons->getIterator();
$it->seek(2);
while ($it->valid())
{
   print_r($it->current());
   $it->next();
}
?>
```

Dane wyjściowe powyższego fragmentu kodu są następujące:

```
Array
(
   [name] => Ayesha Siddika
   [sex] => F
   [age] => 26
```

```
)
Array
(
    [name] => Afif
    [sex] => M
    [age] => 2
)
```

Interfejs RecursiveIterator

To jest kolejny interfejs znajdujący się w bibliotece SPL. Jego zadaniem jest ułatwienie wykonywania rekurencji w zagnieżdżonych zbiorach. Poprzez implementację interfejsu RecursiveIterator oraz jego użycie wraz z klasą RecursiveIteratorIterator programista może znacznie łatwiej poruszać się po zagnieżdżonych zbiorach.

Po zaimplementowaniu interfejsu RecursiveIterator programista otrzyma do dyspozycji dwie metody. Pierwsza z nich to hasChildren(), której zadaniem jest określenie, czy bieżący obiekt jest tablicą, czy nie. (Oznacza to również, że metoda sprawdza, czy obiekt posiada elementy potomne). Natomiast druga metoda — getChildren() zwraca egzemplarz tej samej klasy w zbiorze. I to tyle! Aby łatwiej zrozumieć działanie interfejsu RecursiveIterator, warto przeanalizować poniższy fragment kodu:

```
<?
$arr = array(
    "john"=>array("name"=>"John Abraham", "sex"=>"M", "age"=>27),
    "lily"=>array("name"=>"Lily Bernard", "sex"=>"F", "age"=>37),
    "ayesha"=>array("name"=>"Ayesha Siddika", "sex"=>"F", "age"=>26),
    "afif"=>array("name"=>"Afif", "sex"=>"M", "age"=>2)
);
class MyRecursiveIterator extends ArrayIterator implements RecursiveIterator
{
    public function hasChildren()
    {
        return is_array($this->current());
    }
    public function getChildren()
    {
        return new MyRecursiveIterator($this->current());
    }
}
$persons = new ArrayObject($arr);
$MRI = new RecursiveIteratorIterator(new MyRecursiveIterator($persons ));
foreach ($MRI as $key=>$person) {
    echo $key." : ".$person."\n";
}
?>
```

Dane wyjściowe powyższego fragmentu kodu są następujące:

```
name : John Abraham
sex : M
age : 27
name : Lily Bernard
sex : F
age : 37
name : Ayesha Siddika
sex : F
age : 26
name : Afif
sex : M
age : 2
```

Obiekt SPLFileObject

To jest kolejny doskonały obiekt, który został umieszczony w bibliotece SPL. Jego celem jest pomoc programiście w przeprowadzaniu prostych operacji na plikach. Za pomocą obiektu `SPLFileObject` można znacznie bardziej elegancko przechodzić poprzez zawartość pliku. Obiekt `SPLFileObject` obsługuje następujący zestaw metod:

```
Array
(
    [0] => __construct
    [1] => getFilename
    [2] => rewind
    [3] => eof
    [4] => valid
    [5] => fgets
    [6] => fgetcsv
    [7] => flock
    [8] => fflush
    [9] => ftell
    [10] => fseek
    [11] => fgetc
    [12] => fpassthru
    [13] => fgetss
    [14] => fscanf
    [15] => fwrite
    [16] => fstat
    [17] => ftruncate
    [18] => current
    [19] => key
    [20] => next
    [21] => setFlags
    [22] => getFlags
```

```
        [23] => setMaxLineLen
        [24] => getMaxLineLen
        [25] => hasChildren
        [26] => getChildren
        [27] => seek
        [28] => getCurrentLine
        [29] => __toString
    )
```

Jeżeli czytelnik uważnie przeanalizuje dostępne metody, to stwierdzi, że w obiekcie SPLFileObject zostały zaimplementowane ogólne funkcje PHP działające na pliku. Takie rozwiązanie pozwala programiście na znacznie większą elastyczność podczas pracy.

Użycie obiektu SPLFileObject zostało zaprezentowane w poniższym fragmencie kodu:

```
<?
$file = new SplFileObject("c:\\lines.txt");
foreach( $file as $line ) {
   echo $line;
}
?>
```

Obiekt działa w sposób bardzo podobny do Iteratora, czyli można poruszać się po pliku, przeszukiwać go oraz wykonywać inne zadania. Jednak obiekt SPLFileObject dostarcza również kilku interesujących metod, między innymi getMaxLineLen(), fstat(), hasChildren(), getChildren() i inne.

Warto dodać, że za pomocą obiektu SPLFileObject można także pobierać zdalne pliki.

Obiekt SPLFileInfo

Kolejny użyteczny obiekt znajdujący się w bibliotece SPL to SPLFileInfo. Jego zadaniem jest ułatwienie pobierania informacji o wskazanym pliku. W pierwszej kolejności warto zapoznać się ze strukturą obiektu SPLFileInfo:

```
Array
(
    [0] => __construct
    [1] => getPath
    [2] => getFilename
    [3] => getPathname
    [4] => getPerms
    [5] => getInode
    [6] => getSize
    [7] => getOwner
    [8] => getGroup
```

```
        [9] => getATime
        [10] => getMTime
        [11] => getCTime
        [12] => getType
        [13] => isWritable
        [14] => isReadable
        [15] => isExecutable
        [16] => isFile
        [17] => isDir
        [18] => isLink
        [19] => getFileInfo
        [20] => getPathInfo
        [21] => openFile
        [22] => setFileClass
        [23] => setInfoClass
        [24] => __toString
)
```

Obiekt SPLFileInfo można wykorzystać do otwarcia dowolnego pliku. Jednak znacznie bardziej interesującą funkcją tego obiektu jest obsługa przeciążania otwieranego pliku. Plikowi można więc dostarczyć klasę menedżera plików, która zostanie wywołana podczas otwierania danego pliku.

Użycie obiektu SPLFileInfo zostało zaprezentowane w poniższym fragmencie kodu:

```
<?php
class CustomFO extends SplFileObject
{
   private $i=1;
   public function current()
   {
      return $this->i++ . ":   " .
         htmlspecialchars($this->getCurrentLine())."";
   }
}
$SFI= new SplFileInfo("splfileinfo2.php");
$SFI->setFileClass("CustomFO");
$file = $SFI->openFile();
echo "<pre>";
foreach( $file as $line )
{
   echo $line;
}
?>
```

Dane wyjściowe powyższego fragmentu kodu są następujące:

```
1:
2:   <?php
3:
```

```
4:   class CustomFO extends SplFileObject
     {
5:     private $i=1;
6:     public function current()
     {
7:
8:       return $this->i++ . ":   " .
                htmlspecialchars($this->getCurrentLine())."";
9:     }
10:  }
11:  $SFI= new SplFileInfo("splfileinfo2.php");
12:
13:  $SFI->setFileClass("CustomFO");
14:  $file = $SFI->openFile();
15:  echo "<pre>";
16:  foreach( $file as $line )
     {
17:   echo $line;
18:  }
19:
20:  ?>
21:
22:
```

Obiekt SPLObjectStorage

Oprócz obiektów Directory, File, Iterator, biblioteka SPL zawiera także inny użyteczny obiekt, w którym można przechowywać inne obiekty. Ten obiekt nosi nazwę SPLObjectStorage. Dokładne zrozumienie działania tego obiektu będzie możliwe po zapoznaniu się z przykładowym fragmentem kodu zamieszczonym w dalszej części podrozdziału.

Obiekt SPLObjectStorage może przechowywać w sobie inny, dowolny obiekt. W trakcie zmiany obiektu głównego obiekt przechowywany w SPLObjectStorage również zostanie zmieniony. Jeżeli nastąpi próba dodania danego obiektu więcej niż tylko jeden raz, to taki obiekt w ogóle nie zostanie dodany. Ponadto, dodany obiekt można w każdej chwili usunąć z obiektu SPLObjectStorage.

Oprócz wymienionych możliwości obiekt SPLObjectStorage oferuje funkcję pozwalającą na przejście przez zbiór znajdujący się w przechowywanym obiekcie. Sposób użycia obiektu SPLObjectStorage został przedstawiony w poniższym fragmencie kodu:

```
<?
$os = new SplObjectStorage();
$person = new stdClass(); // To jest zwykły obiekt.
$person->name = "To nie jest imię";
```

```
$person->age = "100";
$os->attach($person); // Umieszczenie obiektu w obiekcie go przechowującym.
foreach ($os as $object)
{
   print_r($object);
   echo "\n";
}
$person->name = "Nowe imię"; // Zmiana nazwy.
echo str_repeat("-",30)."\n"; // To tylko formatowanie kodu.
foreach ($os as $object)
{
   print_r($object); // Widać wyraźnie, że początkowy obiekt został zmieniony.
   echo "\n";
}
$person2 = new stdClass();
$person2->name = "Jeszcze inne imię";
$person2->age = "80";
$os->attach($person2);
echo str_repeat("-",30)."\n";
foreach ($os as $object)
{
   print_r($object);
   echo "\n";
}
echo "\n".$os->contains($person); // Wyszukiwanie.
$os->rewind();
echo "\n".$os->current()->name;
$os->detach($person); // Usunięcie obiektu ze zbioru.
echo "\n".str_repeat("-",30)."\n";
foreach ($os as $object)
{
   print_r($object);
   echo "\n";
}
?>
```

Dane wyjściowe powyższego fragmentu kodu są następujące:

```
stdClass Object
(
  [name] => To nie jest imię
  [age] => 100
)
------------------------------
stdClass Object
(
  [name] => Nowe imię
  [age] => 100
)
------------------------------
```

```
stdClass Object

(
  [name] => Nowe imię
  [age] => 100
)
stdClass Object
(
  [name] => Jeszcze inne imię
  [age] => 80
)
1
New Name
------------------------------
stdClass Object
(
  [name] => Jeszcze inne imię
  [age] => 80
)
```

Podsumowanie

Po wypuszczeniu na rynek PHP w wersji 5 okazało się, że zespół programistów odpowiedzialnych za rozwój PHP umieścił w języku bardzo dobry moduł pozwalający na stosowanie w PHP stylu programowania zorientowanego obiektowo. Język PHP 5 jest dostarczany z dużą liczbą użytecznych obiektów, wśród których biblioteka SPL jest fantastycznym dodatkiem. Dzięki niej znacznie łatwiejsze stało się wykonywanie wielu zadań programistycznych, które wcześniej były całkiem trudne. W bibliotece znajduje się wiele obiektów, a część z nich została w rozdziale zaprezentowana wraz z przykładowymi sposobami użycia. Ponieważ podręcznik PHP jest nieaktualny i nie zawiera szczegółowych informacji o tych wszystkich omówionych obiektach, to rozdział można potraktować jako dobry przewodnik programowania z użyciem obiektów biblioteki SPL.

Obsługa baz danych z użyciem stylu OOP

Oprócz zwykłych usprawnień stylu programowania zorientowanego obiektowo w języku PHP 5 zostało wprowadzonych wiele nowych bibliotek, które pozwalają na łatwiejszą współpracę z bazami danych za pomocą stylu OOP. Te biblioteki zapewniają większą wydajność, usprawnione niektóre funkcje dotyczące bezpieczeństwa oraz oczywiście dużą ilość metod używanych do współdziałania z nowymi funkcjami oferowanymi przez serwer bazy danych.

W rozdziale zostanie omówione usprawnione API bazy danych MySQL, które jest dostępne pod postacią rozszerzenia MySQLi. Ponadto będzie zaprezentowane krótkie wprowadzenie do PDO (niezbyt szczegółowe, ponieważ temat PDO jest tak rozległy, że spokojnie można mu poświęcić oddzielną książkę), ADOdb oraz PEAR::MDB2. W międzyczasie czytelnik zapozna się ze wzorcem Active Record w PHP na podstawie dostawcy ADOdb. Warto w tym miejscu wspomnieć, że w rozdziale nie będą omawiane zagadnienia koncentrujące się na ogólnych operacjach przeprowadzanych w bazie danych. Zamiast tego zostaną poruszone określone tematy interesujące dla programistów PHP, którzy chcą obsługiwać bazy danych w stylu zgodnym z OOP.

Wprowadzenie do MySQLi

MySQLi to wprowadzone w PHP 5 rozszerzenie, które jest przeznaczone do pracy z zaawansowanymi funkcjami bazy danych MySQL, takimi jak zapytania preinterpretowane oraz przechowywane procedury. Z punktu widzenia samej wydajności rozszerzenie MySQLi jest znacznie lepsze niż rozszerzenie MySQL. Ponadto rozszerzenie MySQLi zawiera interfejs zorientowany obiektowo służący do współpracy z bazą danych MySQL. Wymieniony interfejs nie był dostępny przed wydaniem PHP 5. Warto także wspomnieć, że baza danych MySQL powinna być w wersji 4.1.3 lub nowszej.

Czytelnik być może zadaje sobie pytanie, jakie są główne usprawnienia w nowym rozszerzeniu MySQLi? Przyjrzyjmy się więc im:

- Poprawiona wydajność w stosunku do rozszerzenia MySQL.
- Elastyczny interfejs pozwalający na stosowanie, bądź niestosowanie, stylu OOP.
- Korzyści płynące z możliwości używania nowych obiektów MySQL.
- Możliwość tworzenia skompresowanych połączeń.
- Możliwość nawiązywania połączeń z użyciem protokołu SSL.
- Obsługa zapytań preinterpretowanych.
- Obsługa składowanych procedur (SP).
- Usprawniona obsługa replikacji i transakcji.

Użycie niektórych z wymienionych funkcji zostanie przedstawione w przykładach zaprezentowanych w rozdziale. Trzeba jednak wyraźnie wspomnieć, że rozdział nie ma na celu zaoferowania czytelnikowi wprowadzenia do bazy danych MySQL, ponieważ ten temat znajduje się poza zakresem książki. Zamiast tego w rozdziale skoncentrujemy się na sposobach używania interfejsu OOP za pomocą rozszerzenia MySQLi oraz wykorzystania niektórych z jego zaawansowanych funkcji.

Nawiązywanie połączenia z MySQL w stylu zgodnym z OOP

Wcześniej, aby nawiązać połączenie z bazą danych MySQL, trzeba było używać proceduralnej funkcji `call()`, nawet z poziomu obiektów. Te czasy już minęły. W chwili obecnej, podczas komunikacji z bazą danych MySQL, można wykorzystać zalety pełnego interfejsu OOP rozszerzenia MySQLi. (Trzeba w tym miejscu wspomnieć, że w wymienionym rozszerzeniu istnieje kilka proceduralnych metod, ale ogólnie jest ono całkowicie zorientowane obiektowo). W poniższym fragmencie kodu przedstawiono nawiązanie połączenia z bazą danych:

```
<?
$mysqli = new mysqli("localhost", "uzytkownik", "haslo", "nazwa_bazy_danych");
if (mysqli_connect_errno()) {
   echo("Nawiązanie połączenia zakończyło się niepowodzeniem, komunikat błędu
   brzmi: ".
      mysqli_connect_error());
   exit();
}
?>
```

Jeżeli próba nawiązania połączenia zakończy się niepowodzeniem, to zostanie wygenerowany komunikat błędu podobny do poniższego:

```
Nawiązanie połączenia zakończyło się niepowodzeniem, komunikat błędu brzmi:
Access denied for user 'uzytkownik'@'localhost' (using password: YES)
```

Pobieranie danych w stylu zgodnym z OOP

Następny fragment kodu przedstawia sposób pobierania danych z tabeli za pomocą API rozszerzenia MySQLi i z użyciem stylu zgodnego z OOP.

```
<?php
$mysqli = new mysqli("localhost", "uzytkownik" "haslo", "nazwa_bazy_danych");
if (mysqli_connect_errno()) {
   echo("Nawiązanie połączenia zakończyło się niepowodzeniem, komunikat błędu
   brzmi: ".
      mysqli_connect_error());
   exit();
}
/* Zamknięcie połączenia */
$result = $mysqli ->query("select * from users");
while ($data = $result->fetch_object())
{
   echo $data->name." : '".$data->pass."' \n";
}
?>
```

Dane wyjściowe powyższego fragmentu kodu są następujące:

```
robin : 'no password'
tipu : 'bolajabena'
```

> Warto zwrócić uwagę, że przechowywanie haseł użytkowników w pliku tekstowym i bez szyfrowania jest niewłaściwą praktyką. Najlepszym rozwiązaniem jest przechowywanie haseł w bazie danych w postaci zaszyfrowanej, na przykład za pomocą funkcji `md5()`.

Uaktualnianie danych w stylu zgodnym z OOP

W tym temacie nie zaszły żadne szczególne zmiany. Dane można więc uaktualniać dokładnie w taki sam sposób, jak w przypadku używania rozszerzenia MySQL. Jednak ze względu na styl OOP, w rozdziale zaprezentowano przykłady uaktualniania danych za pomocą funkcji `mysqli_query()`, którą wykorzystano już w przedstawionym powyżej fragmencie kodu. Wystarczy więc utworzyć nowy egzemplarz obiektu MySQLi, a następnie wykonać zapytanie.

Zapytania preinterpretowane

Zapytania preinterpretowane są szczególnie interesującym zagadnieniem i zostały wprowadzone po raz pierwszy w programowaniu zorientowanym obiektowo w PHP dzięki rozszerzeniu MySQLi. Tego rodzaju zapytania pojawiły się w MySQL 5.0 (dynamiczny SQL) w celu zapewnienia większego poziomu bezpieczeństwa i elastyczności. W stosunku do zwykłych zapytań oferują one znacznie większą wydajność.

Powstaje pytanie, czym w rzeczywistości są zapytania preinterpretowane? Tego rodzaju zapytania to zwykłe zapytania, które są prekompilowane przez serwer MySQL, tak aby mogły zostać wykonane w późniejszym terminie. Preinterpretowane zapytania zmniejszają ryzyko skutecznego przeprowadzenia ataku typu SQL Injection oraz zapewniają większy poziom wydajności w stosunku do zwykłych zapytań. Wynika to z faktu, że w czasie ich wykonywania nie muszą być przeprowadzane kroki związane z kompilacją. (Jak wspomniano wcześniej, zapytanie preinterpretowane jest już skompilowane).

Zalety korzystania z zapytań preinterpretowanych zostały przedstawione na poniższej liście:

- Większa wydajność.
- Skuteczna ochrona przed atakami typu SQL Injection.
- Oszczędność pamięci podczas obsługi danych rodzaju `BLOB`.
- Przygotowanie zapytania preinterpretowanego dla pojedynczego wykonania nie pociąga za sobą zwiększenia wydajności.
- Podczas używania zapytań preinterpretowanych nie jest stosowane buforowanie zapytań.
- Nie wszystkie polecenia mogą być używane jako zapytania preinterpretowane.

Podczas wykonywania zapytania preinterpretowane mogą przyjmować parametry w kolejności, która została ustalona w trakcie przygotowywania zapytania. W rozdziale zostanie omówione tworzenie zapytań preinterpretowanych, przekazywanie im wartości oraz pobieranie wyników ich działania.

Podstawowe zapytania preinterpretowane

Pracę rozpoczniemy od przygotowania zapytania preinterprtowanego, używając w tym celu rozszerzenia MySQLi. W przedstawionym poniżej fragmencie kodu następuje utworzenie zapytania preinterpretowanego, jego wykonanie oraz pobranie wyników zapytania:

```
<?
$mysqli  = new mysqli("localhost", "uzytkownik" "haslo", "nazwa_bazy_danych");
if (mysqli_connect_errno()) {
   echo("Nawiązanie połączenia zakończyło się niepowodzeniem, komunikat błędu
   brzmi: ".
      mysqli_connect_error());
```

```
   exit();
}
$stmt = $mysqli ->prepare("select name, pass from users order by name");
$stmt->execute();
// $name=null;
$stmt->bind_result($name, $pass);
while ($stmt->fetch())
{
   echo $name."<br/>";
}
?>
```

Co faktycznie zostało zrobione za pomocą powyższego fragmentu kodu?

1. W pierwszej kolejności przygotowano zapytanie preinterpretowane za pomocą następującego wiersza kodu:

   ```
   $stmt = $mysqli ->prepare("select name, pass from users order by name");
   ```

2. Następnie utworzone zapytanie zostało wykonane:

   ```
   $stmt->execute();
   ```

3. Kolejny krok to dołączenie do wyników zapytania dwóch zmiennych, ponieważ samo zapytanie zawierało dwie zmienne.

   ```
   $stmt->bind_result($name, $pass);
   ```

4. Ostatni krok to pobranie wyników zapytania za pomocą następującego wiersza kodu:

   ```
   $stmt->fetch()
   ```

Podczas każdego wywołania funkcji `fetch()` dołączone zmienne zostaną wypełnione wartościami. Następnie wymienione zmienne można wykorzystać w kodzie.

Zapytania preinterpretowane używające zmiennych

Jedną z zalet zapytań preinterpretowanych jest fakt, że można w nich stosować zmienne. W pierwszej kolejności należy przygotować zapytanie i umieścić znak ? w miejscu, w którym będzie stosowana zmienna. Po przygotowaniu zapytania będzie można przekazać mu wartość. Warto przeanalizować poniższy fragment kodu, który powinien pomóc w zrozumieniu takiego rozwiązania:

```
<?
$mysqli = new mysqli("localhost", "uzytkownik" "haslo", "nazwa_bazy_danych");
if (mysqli_connect_errno()) {
   echo("Nawiązanie połączenia zakończyło się niepowodzeniem, komunikat błędu
   brzmi: ".
      mysqli_connect_error());
   exit();
```

```
}
$stmt = $mysqli->prepare("select name, pass from users where name=?");
$stmt->bind_param("s",$name); // Dołączenie ciągu tekstowego, który będzie wartością
                              // parametru name.
$name = "tipu";
$stmt->execute();
$name=null;
$stmt->bind_result($name, $pass);
while ($r = $stmt->fetch())
{
   echo $pass."<br/>";
}
?>
```

Przygotowane w powyższym fragmencie kodu zapytanie ma postać „`select name, pass from users where name=?`". Parametr `name` jest ciągiem tekstowym. Podobnie jak w poprzednim przykładzie parametry zostały dołączone do wyników za pomocą funkcji `bind_results()`, w powyższym kodzie parametry są dołączane za pomocą funkcji `bind_params()`. Oprócz tego należy podać rodzaj danych dołączanych parametrów.

Zapytania preinterpretowane MySQL obsługują cztery rodzaje parametrów:

- `i` oznacza, że odpowiadająca mu zmienna jest liczbą całkowitą
- `d` oznacza, że odpowiadająca mu zmienna jest liczbą o podwójnej precyzji
- `s` oznacza, że odpowiadająca mu zmienna jest ciągiem tekstowym
- `b` oznacza, że odpowiadająca mu zmienna jest rodzaju `BLOB` i może być wysyłana w pakietach

Ponieważ w powyższym przykładzie przekazywany parametr jest ciągiem tekstowym, to dołączenie parametru jest realizowane następująco:

```
$stmt->bind_param("s",$name);
```

Po dołączeniu zmiennej następuje ustawienie wartości `$name` oraz wywołanie funkcji `execute()`. Ostatnim krokiem jest pobranie wyników, dokładnie tak samo jak w poprzednim przykładzie.

Używanie obiektu BLOB w zapytaniach preinterpretowanych

Zapytania preinterpretowane efektywnie obsługują dane rodzaju **BLOB**, czyli **Binary Large Objects**. Jeżeli za pomocą zapytań preinterpretowanych programista zarządza obiektami `BLOB`, to takie rozwiązanie pozwala na oszczędność pamięci poprzez wysyłanie danych w postaci pakietów. Warto więc zapoznać się ze sposobem, w jaki można przechowywać obiekty `BLOB` (w zaprezentowanym przykładzie będzie nim plik graficzny).

Zapytania preinterpretowane obsługują wysyłanie danych we fragmentach, wykorzystując w tym celu funkcję `send_long_data()`. W przedstawionym poniżej fragmencie kodu wymieniona funkcja będzie przechowywała plik graficzny. Plik można również wysłać w zwykły sposób, o ile ilość danych nie przekroczy wartość zdefiniowaną w zmiennej konfiguracyjnej MySQL o nazwie `max_allowed_packet`.

```
<?
$mysqli = new mysqli("localhost", "uzytkownik" "haslo", "nazwa_bazy_danych");
if (mysqli_connect_errno()) {
   echo("Nawiązanie połączenia zakończyło się niepowodzeniem, komunikat błędu
   brzmi: ".
      mysqli_connect_error());
   exit();
}
$stmt = $mysqli->prepare("insert into images value(NULL,?)");
$stmt->bind_param("b",$image);
$image = file_get_contents("signature.jpg"); // Pobranie zawartości pliku.
$stmt->send_long_data(0,$image);
$stmt->execute();
?>
```

Schemat tabeli bazy danych przechowującej grafiki jest następujący:

```
CREATE TABLE 'images' (
   'id' int(11) NOT NULL auto_increment,
   'image' mediumblob,
   PRIMARY KEY ('id')
) ENGINE=MyISAM;
```

Rodzaj danych został ustalony jako `MEDIUMBLOB`, ponieważ zwykły `BLOB` może przechowywać jedynie 65KB danych. Natomiast wielkość obiektu danych przechowywanego przez `MEDIUMBLOB` może przekraczać 16MB, a rodzaju `LARGEBLOB` nawet 4GB danych.

Kolejny krok to przywrócenie danych `BLOB` na postać pliku graficznego również za pomocą zapytania preinterpretowanego.

```
<?
$mysqli = new mysqli("localhost", "uzytkownik", "haslo", "nazwa_bazy_danych");
if (mysqli_connect_errno()) {
   echo("Nawiązanie połączenia zakończyło się niepowodzeniem, komunikat błędu
   brzmi: ".
      mysqli_connect_error());
   exit();
}
$stmt = $mysqli->prepare("select image from images where id=?");
$stmt->bind_param("i",$id);
$id = $_GET['id'];
$stmt->execute();
$image=NULL;
```

```
$stmt->bind_result($image);
$stmt->fetch();
header("Content-type: image/jpeg");
echo $image;
?>
```

Wykonanie procedury składowanej za pomocą MySQLi i PHP

Procedura składowana jest kolejną nową funkcją w MySQL 5, która prowadzi do ograniczenia ilości zapytań na linii klient–serwer. Używając rozszerzenia MySQLi, można wykonywać procedury składowane w bazie danych MySQL. W rozdziale nie zostaną omówione procedury składowane, gdyż takie omówienie znajduje się poza zakresem tematycznym książki. Ponadto w Internecie można znaleźć wiele artykułów, które pomogą czytelnikowi w zrozumieniu i tworzeniu procedur składowanych. Jednym z doskonałych artykułów na ten temat jest dostępny w pliku PDF pod adresem *http://dev.mysql.com/tech-resources/articles/mysql-storedprocedures.pdf*.

Najwyższy czas na utworzenie małej procedury składowanej i uruchomienie jej z poziomu PHP. Przedstawiona w poniższym fragmencie kodu procedura składowana może pobrać dane wejściowe, a następnie umieścić rekord w tabeli bazy danych:

```
DELIMITER $$;
DROP PROCEDURE IF EXISTS 'test'.'sp_create_user'$$
CREATE PROCEDURE 'sp_create_user'(IN uname VARCHAR(50))
BEGIN
INSERT INTO users(id,name) VALUES (null, uname);
END$$
DELIMITER ;$$
```

Po uruchomieniu w bazie danych przedstawionej procedury składowanej (używając na przykład zapytania MySQL) nastąpi utworzenie procedury o nazwie `sp_create_user`.

> Programista może z poziomu klienta *MySQL* ręcznie wykonać dowolną procedurę składowaną, używając w tym celu polecenia typu „wykonaj". Przykładowo, aby wykonać przedstawioną powyżej procedurę składowaną, trzeba wydać polecenie `call sp_create_user('nazwa_uzytkownika')`.

Następnie utworzoną procedurę składowaną można wykonać z poziomu kodu PHP, na przykład w taki sposób:

```
<?
$mysqli = new mysqli("localhost", "uzytkownik", "haslo", "nazwa_bazy_danych");
if (mysqli_connect_errno()) {
   echo("Nawiązanie połączenia zakończyło się niepowodzeniem, komunikat błędu
   brzmi: ".
```

```
        mysqli_connect_error());
    exit();
}
$mysqli->query("call sp_create_user('hasin')");
?>
```

I to tyle!

PDO

Kolejne nowe rozszerzenie służące do zarządzania bazami danych i dodane w PHP 5.1 (chociaż w PHP 5.0 było dostępne poprzez PECL) to PDO. Rozszerzenie jest dostarczane wraz ze sterownikami pozwalającymi na obsługę różnych silników baz danych. Skrót **PDO** oznacza **PHP Data Objects** i został opracowany w celu dostarczenia lekkiego interfejsu dla różnych silników baz danych. Bardzo użyteczną cechą PDO jest fakt, że działa w sposób podobny do DAL (*Data Access Layer*), a więc we wszystkich silnikach baz danych można używać tych samych nazw funkcji.

Dzięki użyciu ciągów tekstowych DSN (*Data Source Name*) programista może nawiązywać połączenie z różnymi bazami danych. W przedstawionym poniżej fragmencie kodu zostanie nawiązane połączenie z bazą danych MySQL, a następnie będą pobrane z niej pewne dane.

```
<?php
$dsn = 'mysql:dbname=nazwa_bazy_danych;host=localhost;';
$user = 'uzytkownik';
$password = 'haslo';
try {
   $pdo = new PDO($dsn, $user, $password);
}
catch (PDOException $e)
{
   echo 'Próba nawiązania połączenia zakończyła się niepowodzeniem: ' .
      $e->getMessage();
}
$result = $pdo->query("select * from users");
foreach ($result as $row)
echo $row['name'];
?>
```

Zrozumienie przedstawionego kodu nie nastręcza czytelnikowi trudności, nieprawdaż? Jego zadaniem jest po prostu nawiązanie połączenia z bazą danych MySQL za pomocą DSN (użyta w kodzie baza to `nazwa_bazy_danych`), a następnie wykonanie zapytania. Ostatnie zadanie powyższego kodu to oczywiście wyświetlenie wyników zapytania.

Dla porównania, poniższy kod przedstawia sposób nawiązania połączenia z bazą danych SQLite.

```
<?php
$dsn = 'sqlite:abcd.db';
try
{
   $pdo = new PDO($dsn);
   $pdo->exec("CREATE TABLE users (id int, name VARCHAR)");
   $pdo->exec("DELETE FROM users");
   $pdo->exec("INSERT INTO users (name) VALUES('afif')");
   $pdo->exec("INSERT INTO users (name) VALUES('tipu')");
   $pdo->exec("INSERT INTO users (name) VALUES('robin')");
}
catch (PDOException $e) {
   echo 'Próba nawiązania połączenia zakończyła się niepowodzeniem: ' .
      $e->getMessage();
}
$result = $pdo->query("select * from users");
foreach ($result as $row)
echo $row['name'];
?>
```

Widać wyraźnie, że jedyne zmiany w kodzie dotyczą DSN.

Ciekawostką jest fakt, że istnieje również możliwość utworzenia bazy danych SQLite w pamięci operacyjnej, a następnie wykonywanie na niej pewnych operacji. Warto zapoznać się z poniższym kodem:

```
<?php
$dsn = 'sqlite::memory:';
try {
   $pdo = new PDO($dsn);
   $pdo->exec("CREATE TABLE users (id int, name VARCHAR)");
   $pdo->exec("DELETE FROM users");
   $pdo->exec("INSERT INTO users (name) VALUES('afif')");
   $pdo->exec("INSERT INTO users (name) VALUES('tipu')");
   $pdo->exec("INSERT INTO users (name) VALUES('robin')");
}
catch (PDOException $e)
{
   echo 'Próba nawiązania połączenia zakończyła się niepowodzeniem: ' .
      $e->getMessage();
}
$result = $pdo->query("select * from users");
foreach ($result as $row)
echo $row['name'];
?>
```

W powyższym kodzie zmianie uległ tylko wiersz określający DSN.

Konfiguracja DSN dla różnych silników baz danych

Warto zapoznać się z konfiguracją DSN dla różnych silników baz danych, która pozwala na połączenie z bazą za pomocą PDO. Obsługiwane sterowniki baz danych zostały wymienione na poniższej liście:

- PDO_DBLIB dla FreeTDS/Microsoft SQL Server/Sybase
- PDO_FIREBIRD dla Firebird/Interbase 6
- PDO_INFORMIX dla IBM Informix Dynamic Server
- PDO_MYSQL dla MySQL 3.x/4.x/5.x
- PDO_OCI dla Oracle Call Interface
- PDO_ODBC dla ODBC v3 (IBM DB2, unixODBC oraz win32 ODBC)
- PDO_PGSQL dla PostgreSQL
- PDO_SQLITE dla SQLite 3 oraz SQLite 2

Poniżej przedstawiono przykłady konfiguracji DSN dla różnych baz danych:

```
mssql:host=localhost;dbname=testdb
sybase:host=localhost;dbname=testdb
dblib:host=localhost;dbname=testdb
firebird:User=john;Password=mypass;Database=DATABASE.GDE;
                        DataSource=localhost;Port=3050
informix:host=host.domain.com; service=9800;database=common_db;
   server=ids_server; protocol=onsoctcp;EnableScrollableCursors=1
mysql:host=localhost;port=3307;dbname=testdb
mysql:unix_socket=/tmp/mysql.sock;dbname=testdb
oci:mydb
oci:dbname=//localhost:1521/mydb
odbc:testdb
odbc:DRIVER={IBM DB2 ODBC
 DRIVER};HOSTNAME=localhost;PORT=50000;DATABASE=SAMPLE;PROTOCOL=TCPIP;
                                            UID=db2inst1;PWD=ibmdb2;
odbc:Driver={Microsoft Access Driver
                           (*.mdb)};Dbq=C:\\db.mdb;Uid=Admin
pgsql:dbname=example;user=nobody;password=change_me;host=localhost;
                                            port=5432
sqlite:/opt/databases/mydb.sq3
sqlite::memory:
sqlite2:/opt/databases/mydb.sq2
sqlite2::memory:
```

Używanie zapytań preinterpretowanych za pomocą PDO

Za pomocą PDO również można wykonać względem bazy danych zapytania preinterpretowane. Zalety używania tego rodzaju zapytań pozostają niezmienione. Przede wszystkim następuje wzrost wydajności w przypadku wykonywania większej liczby zapytań poprzez przetwarzanie i buforowanie zapytań po stronie serwera oraz ograniczenie niebezpieczeństwa przeprowadzenia udanego ataku typu SQL Injection.

W przeciwieństwie do przykładów używających rozszerzenia MySQLi, zapytania preinterpretowane w PDO mogą pobierać nazwane zmienne.

Warto spojrzeć i spróbować zrozumieć następujący fragment kodu:

```
<?php
$dsn = 'mysql:dbname=nazwa_bazy_danych;host=localhost;';
$user = 'uzytkownik';
$password = 'haslo';
try {
   $pdo = new PDO($dsn, $user, $password);
} catch (PDOException $e)
{
   echo 'Próba nawiązania połączenia zakończyła się niepowodzeniem: ' .
      $e->getMessage();
}
$stmt = $pdo->prepare("select id from users where name=:name");
$name = "tipu";
$stmt->bindParam(":name",$name, PDO::PARAM_STR);
$stmt->execute();
$stmt->bindColumn("id",$id);
$stmt->fetch();
echo $id;
?>
```

Istnieje również możliwość wykonania poniższego fragmentu kodu:

```
<?php
$dsn = 'mysql:dbname=nazwa_bazy_danych;host=localhost;';
$user = 'uzytkownik';
$password = 'haslo';
try {
   $pdo = new PDO($dsn, $user, $password);
}
catch (PDOException $e)
{
   echo 'Próba nawiązania połączenia zakończyła się niepowodzeniem: ' .
      $e->getMessage();
}
$stmt = $pdo->prepare("select id from users where name=?");
$name = "tipu";
$stmt->bindParam(1,$name, PDO::PARAM_STR);
$stmt->execute();
$stmt->bindColumn("id",$id);
$stmt->fetch();
echo $id;
?>
```

Zamiast wywołania funkcji bindParam() używana jest bindValues(), na przykład w taki sposób:

```
$stmt->bindValue(1,"tipu", PDO::PARAM_STR);
```

Wywoływanie procedur składowanych

PDO zapewnia łatwy sposób wywoływania procedur składowanych. Zadanie programisty sprowadza się do wydania polecenia „call nazwa_procedury_składowanej(parametry)" za pomocą metody exec(), na przykład:

```
$pdo->exec("call sp_create_user('david')");
```

Inne ciekawe funkcje

W PDO dostępnych jest również kilka innych interesujących funkcji. Przykładowo, warto spojrzeć na poniższą listę:

- fetchAll()
- fetchColumn()
- rowCount()
- setFetchMode()

Funkcja fetchAll() pobiera wszystkie rekordy ze zbioru wynikowego. Przykład jej użycia został zaprezentowany w poniższym fragmencie kodu:

```
$stmt = $pdo->prepare("select * from users");
$stmt->execute();
echo "<pre>";
print_r($stmt->fetchAll());
echo "</pre>";
```

Funkcja fetchColumn() umożliwia pobranie danych z wskazanej kolumny już po wykonaniu polecenia. Przykład jej użycia został zaprezentowany w poniższym fragmencie kodu:

```
$stmt = $pdo->prepare("select * from users");
$stmt->execute();
while ($name = $stmt->fetchColumn(1))
{
   echo $name."<br/>";
}
```

Funkcja rowCount() zwraca liczbę rekordów, które zostały zmodyfikowane po wykonaniu zapytania zawierającego polecenie UPDATE bądź DELETE. Trzeba koniecznie zapamiętać, że wymieniona funkcja zwraca liczbę rekordów zmodyfikowanych przez ostatnio wykonane zapytanie:

```
$stmt = $pdo->prepare("DELETE from users WHERE name='Anonymous'");
$stmt->execute();
echo $stmt->rowCount();
```

Funkcja `setFetchMode()` umożliwia konfigurację trybu pobierania stosowaną przez zapytania preinterpretowane w PDO. Dostępne wartości są następujące:

- `PDO::FETCH_NUM:` — wyniki zostaną pobrane jako tablica indeksowana liczbowo.
- `PDO::FETCH_ASSOC:` — wyniki zostaną pobrane jako tablica asocjacyjna (nazwy kolumn będą kluczami).
- `PDO::FETCH_BOTH:` — połączenie obu wymienionych wyżej trybów.
- `PDO::FETCH_OBJ:` — rekordy zostaną pobrane jako obiekty, w których nazwy kolumn będą właściwościami.

Wprowadzenie do Data Abstraction Layers

Warstwy *Data Abstraction Layers* (DAL) zostały opracowane w celu dostarczenia ujednoliconych interfejsów do pracy z każdym silnikiem bazy danych. Dlatego też DAL zapewnia podobne API pozwalające na niezależną współpracę z każdym silnikiem bazy danych. Ponieważ nazwy funkcji są podobne dla wszystkich platform, to programista może łatwiej ich używać, znacznie łatwiej zapamiętać oraz oczywiście tworzyć kod, który będzie łatwiejszy do przenoszenia. Aby pomóc w zrozumieniu potrzeby stosowania DAL, rozpocznijmy od analizy często spotykanego scenariusza.

Zakładamy, że zespół Y pracuje nad dużym projektem. Klient zadecydował, że ma być użyta baza danych MySQL. Jednak po zakończeniu prac nad programem zespół Y dowiaduje się, że klient zmienił zdanie i prosi o dodanie obsługi bazy danych PostgreSQL. Klient zapłaci za wprowadzenie zmiany, ale decyzja o zmianie powinna zapaść wcześnie.

Zespół Y opracował program, używając rodzimych funkcji bazy danych MySQL. Powstaje pytanie, co można zrobić w przypadku zmiany bazy danych? Czy trzeba będzie przepisać wszystkie funkcje, tak aby współpracowały z bazą danych PostgreSQL? Ogólnie rzecz biorąc, to jest jedyne rozwiązanie. Jednak co zrobić w przyszłości, gdy klient zażyczy sobie wprowadzenia obsługi bazy danych MSSQL? Czy trzeba będzie ponownie przepisać program? Czy czytelnik jest w stanie wyobrazić sobie koszty refaktoringu programu za każdym razem?

Rozwiązaniem w takiej sytuacji jest stosowanie DAL, gdyż kod pozostanie taki sam. Natomiast zmianę obsługiwanej bazy danych można przeprowadzić w każdej chwili bez konieczności wykonywania większych modyfikacji kodu.

Dla PHP istnieje kilka popularnych implementacji DAL. Najpopularniejsze z nich to ADOdb oraz PEAR::MDB2. Pakiet PEAR:DB zyskał dużą popularność, ale prace nad jego rozwojem zostały wstrzymane. Więcej informacji na ten temat znajduje się na stronie *http://blog.agora ↪production.com/index.php?/archives/42-PEARDB-is-DEPRECATED,-GOT-IT.html#extended*.

W tej części rozdziału zostaną omówione PEAR::MDB2 oraz ADOdb. Czytelnik zapozna się z podstawowymi operacjami baz danych wykonywanymi za ich pomocą oraz sposobami instalacji wymienionych bibliotek.

ADOdb

ADOdb jest elegancką i popularną warstwą abstrakcji danych opracowaną przez Johna Lima i udostępnioną na licencji LGPL. To jest jedna z najlepszych warstw dostępnych dla PHP. Najnowszą wersję ADOdb można pobrać ze strony *http://adodb.sourceforge.net*.

Instalacja ADOdb

Nie istnieje typowa instalacja ADOdb, gdyż jest to po prostu zbiór klas oraz zwykłych skryptów. Programista musi więc wypakować pliki z archiwum i umieścić je w miejscu, z którego zostaną wczytane do programu. Struktura katalogów po rozpakowaniu archiwum została pokazana na rysunku 7.1.

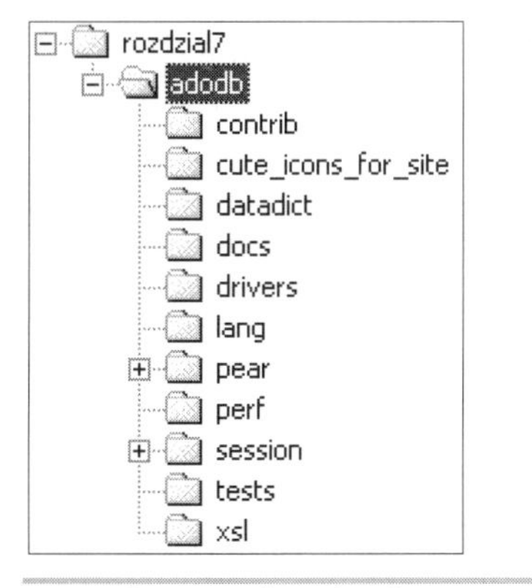

Rysunek 7.1. Struktura katalogów warstwy ADOdb

Nawiązywanie połączenia z różnymi bazami danych

Podobnie jak w przypadku PDO także ADOdb pozwala na nawiązywanie połączenia z różnymi bazami danych za pomocą odpowiednich sterowników. Warto zapoznać się z listą obsługiwanych baz danych oraz ich ciągami tekstowymi DSN.

ADOdb obsługuje standardowy format DSN, który występuje w postaci:

```
$sterownik://$uzytkownik:$haslo@nazwa_serwera/$nazwa_bazy_danych?opcje[=wartosci]
```

Jakie więc bazy danych są obsługiwane przez ADOdb? Odpowiedzią na to pytanie jest tabela 7.1. Przedstawiona lista została zaczerpnięta z podręcznika ADOdb.

Tabela 7.1. Sposób obsługi bazy danych przez ADOdb

Sterownik	Testowany	Baza danych	Wymagania	System operacyjny
access	B	Baza danych Microsoft Access/Jet. Trzeba utworzyć ODBC DSN.	ODBC	Tylko Windows
ado	B	Ogólny sterownik ADO, nie przygotowany dla konkretnej bazy danych. Zezwala na połączenia bez DSN. W celu uzyskania najlepszej wydajności należy używać dostawcy OLEDB. To jest najlepsza klasa dla wszystkich sterowników ADO. Przed nawiązaniem połączenia można użyć `$db->codePage`.	Dostawca ADO lub OLEDB	Tylko Windows
ado_access	B	Baza danych Microsoft Access/Jet dostępna za pomocą ADO. Zezwala na połączenia bez użycia DSN. W celu uzyskania najlepszej wydajności należy używać dostawcy OLEDB.	Dostawca ADO lub OLEDB	Tylko Windows
ado_mssql	B	Baza danych Microsoft SQL Server dostępna za pomocą ADO. Zezwala na połączenia bez użycia DSN. W celu uzyskania najlepszej wydajności należy używać dostawcy OLEDB.	Dostawca ADO lub OLEDB	Tylko Windows
db2	C	Używa rozszerzenia db2 PHP w celu zapewnienia najlepszej wydajności.	Interfejs DB2 CLI/ODBC	Unix i Windows. Wymagany jest klient IBM DB2 Universal Database.
odbc_db2	C	Nawiązanie połączenia z DB2 za pomocą ogólnego (podstawowego) rozszerzenia ODBC.	Interfejs DB2 CLI/ODBC	Unix i Windows. Podpowiedź dla systemu Unix. Autor otrzymał zgłoszenia, że parametry `$nazwa_serwera` i `$nazwa_bazy_danych` powinny być w funkcji `Connect()` zamienione miejscami podczas używania CLI.
vfp	A	Baza danych Microsoft Visual FoxPro. Trzeba utworzyć ODBC DSN.	ODBC	Tylko Windows

Tabela 7.1. Sposób obsługi bazy danych przez ADOdb — ciąg dalszy

Sterownik	Testowany	Baza danych	Wymagania	System operacyjny
`fbsql`	C	Baza danych FrontBase.	?	Unix i Windows
`ibase`	B	Interbase w wersji 6 lub wcześniejszej. Niektórzy użytkownicy informują, że w celu nawiązania połączenia trzeba użyć polecenia `$db->PConnect('localhost:c:/ibase/employee.gdb', "sysdba", "masterkey")`. W chwili obecnej brakuje obsługi `Affected_Rows`. Przed nawiązaniem połączenia można użyć poleceń `$db->role`, `$db->dialect`, `$db->buffers` oraz `$db->charSet`.	Klient Interbase	Unix i Windows
`firebird`	B	Wersja Firebird bazy danych Interbase.	Klient Interbase	Unix i Windows
`borland_ibase`	C	Wersja Borland bazy danych Interbase 6.5 lub nowszej. Szkoda, że dwie powyższe bazy tak się różnią.	Klient Interbase	Unix i Windows
`informix`	C	Ogólny sterownik Informix. Należy go stosować, jeśli używana baza danych to Informix w wersji 7.3 lub nowszej.	Klient Informix	Unix i Windows
`informix72`	C	Bazy danych Informix w wersji wcześniejszej niż 7.3 nie obsługują polecenia `SELECT FIRST`.	Klient Informix	Unix i Windows
`ldap`	C	Sterownik LDAP. Informacje o sposobie jego używania znajdują się w przykładzie.	Rozszerzenie LDAP	?
`mssql`	A	Baza danych Microsoft SQL Server w wersji 7 lub nowszej. Działa również z Microsoft SQL Server 2000. Warto zwrócić uwagę, że formatowanie daty sprawia problem temu sterownikowi. Przykładowo, rozszerzenie MSSQL PHP nie zwraca sekund dla danych rodzaju `DATETIME`!	Klient MS SQL	Unix i Windows. Instalacja w systemie Unix to inna historia.

Tabela 7.1. Sposób obsługi bazy danych przez ADOdb — ciąg dalszy

Sterownik	Testowany	Baza danych	Wymagania	System operacyjny
`mssqlpo`	A	Przenośny sterownik `mssql`. Jest identyczny z przedstawionym powyżej, za wyjątkiem faktu, że operator konkatenacji `||` został skonwertowany na `+`. Użyteczny podczas przenoszenia skryptów z większości innych wariantów SQL, które używają `||`.	Klient MS SQL	Unix i Windows. Instalacja w systemie Unix to inna historia.
`mysql`	A	Baza danych MySQL bez obsługi transakcji. Przed nawiązaniem połączenia można wydać polecenie `$db->clientFlags`.	Klient MySQL	Unix i Windows
`mysqli`	B	Obsługuje nowe API MySQL dostępne w PHP 5.	Klient MySQL w wersji 4.1 lub nowszej	Unix i Windows
`mysqlt` lub `maxsql`	A	Baza danych MySQL z obsługą transakcji. Dla zachowania większej przenośności kodu warto stosować operator konkatenacji w postaci `||`. W tym celu należy uruchomić MySQL w następujący sposób: `mysqld --ansi` lub `mysqld --sql-mode=PIPES_AS_CONCAT`.	Klient MySQL	Unix i Windows
`oci8`	A	Baza danych Oracle 8/9. Sterownik oferuje większą liczbę funkcji niż dostarczany przez Oracle (na przykład, `Affected_Rows`). Przed nawiązaniem połączenia można użyć polecenia `putenv('ORACLE_HOME=...')`. Istnieją dwa sposoby nawiązania połączenia. Pierwszy to podanie IP serwera. Drugi to podanie nazwy usługi: `PConnect('serverip:1521', 'scott','tiger','service')`. Można także użyć wpisu w `TNSNAMES.ORA` lub `ONAMES` lub `HOSTNAMES`: `PConnect(false, 'scott', 'tiger', $oraname)`. Od wersji 2.31 dostępna jest bezpośrednia obsługa zmiennych kursora Oracle REF (zobacz `ExecuteCursor`).	Klient Oracle	Unix i Windows

Tabela 7.1. Sposób obsługi bazy danych przez ADOdb — ciąg dalszy

Sterownik	Testowany	Baza danych	Wymagania	System operacyjny
oci805	C	Obsługa ograniczonej liczby funkcji Oracle dla Oracle 8.0.5. Funkcja SelectLimit nie jest tak efektywna jak w przypadku sterowników oci8 lub oci8po.	Klient Oracle	Unix i Windows
oci8po	A	Przenośny sterownik Oracle 8/9. Jest on niemal identyczny ze sterownikiem oci8 z dwoma wyjątkami. Po pierwsze, zmienne dołączane w Prepare() używają konwencji ? zamiast :bindvar. Po drugie, nazwy pól stosują częściej używaną w PHP konwencję zapisu nazw małymi literami. Tego sterownika należy używać wtedy, gdy ważne jest przeniesienie bazy danych z innego silnika. W przeciwnym razie sterownik oci8 zapewnia znacznie większą wydajność.	Klient Oracle	Unix i Windows
odbc	A	Ogólny sterownik ODBC, nie przeznaczony dla konkretnej bazy danych. Aby nawiązać połączenie, trzeba wydać polecenie PConnect('DSN','uzytkownik', 'haslo'). To jest klasa podstawowa dla wszystkich sterowników ODBC.	ODBC	Unix i Windows. System Unix wymaga dodatkowych wskazówek.
odbc_mssql	A	Używanie sterownika ODBC do nawiązania połączenia z MSSQL.	ODBC	Unix i Windows
odbc_oracle	C	Używanie sterownika ODBC do nawiązania połączenia z Oracle.	ODBC	Unix i Windows
odbtp	B	Ogólny sterownik odbtp. Wymienione odbtp to oprogramowania pozwalające na uzyskanie dostępu do źródeł danych ODBC w Windows z poziomu innych systemów operacyjnych.	odbtp	Unix i Windows
odbtp_unicode	C	Sterownik odbtp z obsługą Unicode.	odbtp	Unix i Windows

Tabela 7.1. Sposób obsługi bazy danych przez ADOdb — ciąg dalszy

Sterownik	Testowany	Baza danych	Wymagania	System operacyjny
`oracle`	C	Implementacja starego API klienta Oracle 7. Jeżeli jest to możliwe, to należy stosować sterownik oci8, który zapewnia większą wydajność.	Klient Oracle	Unix i Windows
`netezza`	C	Sterownik Netezza. Baza danych Netezza bazuje na kodzie bazy PostGREs.	?	?
`pdo`	C	Ogólny sterownik PDO dla PHP 5.	Rozszerzenie PDO oraz sterownik dla właściwej bazy danych	Unix i Windows
`postgres`	A	Ogólny sterownik PostgreSQL. W chwili obecnej identyczny ze sterownikiem postgres7.	Klient PostgreSQL	Unix i Windows
`postgres64`	A	Sterownik dla bazy danych PostgreSQL w wersji 6.4 lub wcześniejszej, które wewnętrznie nie obsługiwały polecenia `LIMIT`.	Klient PostgreSQL	Unix i Windows
`postgres7`	A	Baza danych obsługująca funkcję `LIMIT` oraz inne znajdujące się w wersji 7.	Klient PostgreSQL	Unix i Windows
`postgres8`	A	W chwili obecnej identyczny ze sterownikiem postgres7.	Klient PostgreSQL	Unix i Windows
`sapdb`	C	Baza danych SAP. Powinna działać stabilnie na bazie sterownika ODBC.	Klient SAP ODBC	?
`sqlanywhere`	C	Baza Sybase SQL Anywhere. Powinna działać stabilnie na bazie sterownika ODBC.	Klient SQL Anywhere ODBC	?
`sqlite`	B	Baza danych SQLite.	—	Unix i Windows

Tabela 7.1. Sposób obsługi bazy danych przez ADOdb — ciąg dalszy

Sterownik	Testowany	Baza danych	Wymagania	System operacyjny
sqlitepo	B	Przenośny sterownik bazy danych SQLite. Jest on dostępny, ponieważ tryb ASSOC nie działa tak samo jak w innych sterownikach SQLite. W sterowniku sqlite, po zaznaczeniu (JOIN) wielu tabel, ich nazwy są dostępne w kluczach tablicy asocjacyjnej. Z kolei w sterowniku sqlitepo nazwy tabel są usuwane ze zwracanych nazw kolumn. Kiedy takie rozwiązanie powoduje problemy, pod uwagę brana jest wartość pierwszego pola.	-	Unix i Windows
sybase	C	Baza danych Sybase.	Klient Sybase	Unix i Windows

Podstawowe operacje na bazie danych za pomocą ADOdb

Czytelnik zapewne pamięta strukturę katalogów, która została pokazana nieco wcześniej. Teraz można zrobić już użytek ze skryptów wyświetlonych na wymienionym rysunku. W podrozdziale zostaną przedstawione podstawowe operacje na bazie danych, które można wykonać za pomocą ADOdb. Rozpoczniemy od nawiązania połączenia z MySQL i wykonania prostej operacji:

```
<?
include("adodb/adodb.inc.php");
$dsn = 'mysql://uzytkownik:haslo@localhost/test?persist';
$conn = ADONewConnection($dsn);
$conn->setFetchMode(ADODB_FETCH_ASSOC);
$recordSet = $conn->Execute('select * from users');
if (!$recordSet)
print $conn->ErrorMsg(); // Jeżeli wystąpią jakiekolwiek błędy.
else
while (!$recordSet->EOF) {
   echo $recordSet->fields['name'].'<BR>';
   $recordSet->MoveNext();
}
?>
```

Warto jeszcze zapoznać się z alternatywnym sposobem nawiązania połączenia:

```
<?
include("adodb/adodb.inc.php");
$conn =ADONewConnection('mysql');// Po prostu rodzaj RDBMS.
$conn->connect("localhost","uzytkownik","haslo","test");
// Miejsce na kod uwierzytelniający.
?>
```

Wstawianie, usuwanie i uaktualnianie rekordów

Dowolne polecenie SQL można wykonać za pomocą metody `execute()` obiektu `ADONewConnection` lub `ADOConnection`. Tak więc nie ma w tym rozwiązaniu nic nowego. Warto jednak przekonać się, w jaki sposób można wstawić, usunąć lub uaktualnić rekordy i sprawdzić, czy operacja zakończyła się sukcesem czy niepowodzeniem.

```
<?
include("adodb/adodb.inc.php");
$conn =ADONewConnection('mysql');
$conn->connect("localhost","uzytkownik","haslo","test");
$conn->setFetchMode(ADODB_FETCH_ASSOC);
$res = $conn->execute("insert into users(name) values('test')");
echo $conn->Affected_Rows();
?>
```

Wyniki są wyświetlane za pomocą funkcji `Affected_Rows()`.

Funkcja Insert_ID()

Jeżeli zachodzi potrzeba określenia ID ostatniego wstawionego rekordu, to można w tym celu użyć funkcji `Insert_Id()`.

Wykonywanie zapytań preinterpretowanych

ADOdb dostarcza łatwego w obsłudze API służącego do tworzenia i wykonywania zapytań preinterpretowanych. Warto przeanalizować poniższy fragment kodu i zrozumieć sposób jego działania:

```
<?
include("adodb/adodb.inc.php");
$conn =ADONewConnection('mysql');
$conn->connect("localhost","uzytkownik","haslo","test") ;
$conn->setFetchMode(ADODB_FETCH_ASSOC);
$stmt = $conn->Prepare('insert into users(name) values (?)');
$conn->Execute($stmt,array((string) "afif"));
echo $conn->Affected_Rows();
?>
```

Rekordy można pobierać dokładnie w ten sam sposób.

MDB2

MDB2 to inna, popularna biblioteka warstwy abstrakcji danych, która została opracowana w ramach PEAR oraz łączy w sobie najlepsze funkcje PEAR::DB i Metabase. W stosunku do DB i MDB biblioteka zapewnia spójne API, wysoką wydajność oraz solidną platformę programowania. Biblioteka MDB2 jest dostarczana wraz z doskonale opracowaną dokumentacją. W rozdziale oczywiście nie można zaprezentować wszystkich funkcji obsługiwanych przez MDB2, ale będą omówione podstawowe funkcje, które pomogą czytelnikowi w zrozumieniu sposobu działania MDB2.

Instalacja MDB2

Instalacja MDB2 wymaga działającej wersji rozszerzenia PEAR. Dlatego też, aby móc używać MDB2, trzeba posiadać w systemie zainstalowane i działające rozszerzenie PEAR. Jeżeli czytelnik nie posiada zainstalowanego PEAR, to poniższa wskazówka będzie bardzo użyteczna.

> **Instalacja PEAR**
>
> W pierwszej kolejności należy przejść na stronę *http://pear.php.net/go-pear* i na dysku twardym zapisać plik *go-pear.php*. Kolejny krok to wydanie z poziomu wiersza poleceń następującego polecenia: `php /sciezka/do/go-pear.php` oraz wykonywanie poleceń wyświetlanych na ekranie. Po wyświetleniu pytania o instalację MDB2 należy odpowiedzieć `Yes`. Następnie trzeba ponownie odpowiedzieć `Yes`, gdy zostanie wyświetlone pytanie dotyczące modyfikacji pliku konfiguracyjnego *php.ini*. Nie trzeba się przejmować, wymieniona modyfikacja polega na dodaniu kilku wierszy powodujących, że PEAR będzie w systemowej ścieżce dostępu. Wszystkie inne ustawienia pozostaną bez zmian. Instalacja PEAR jest zakończona.

Jeżeli w systemie jest zainstalowane rozszerzenie PEAR, ale brakuje MDB2, to należy zainstalować tylko brakującą bibliotekę. W tym celu trzeba przejść do wiersza poleceń i wydać następujące polecenia:

```
pear install MDB2
pear install MDB2_Driver_$sterownik_bazy_danych
```

W miejsce zmiennej `$sterownik_bazy_danych` można podać dowolny sterownik bazy danych, na przykład SQLite, PgSQL, MySQL, MySQLi, oci8, MSSQL i ibase. Przykładowo, aby zainstalować sterownik dla bazy danych MySQL, trzeba wydać następujące polecenie:

```
pear install MDB2_Driver_mysqlmysql
```

To wszystko, instalacja jest zakończona.

Nawiązywanie połączenia z bazą danych

Za pomocą biblioteki MDB2 można nawiązywać połączenia z różnymi silnikami baz danych. Podczas nawiązywania połączenia MDB2 używa sformatowanego ciągu tekstowego DSN. Format wymienionego ciągu tekstowego DSN jest następujący:

```
phptype(dbsyntax)://uzytkownik:haslo@protokol+serwer/
nazwa_bazy_danych?opcja=wartosc
```

Istnieje kilka odmian ciągu tekstowego DSN, a niektóre z nich zostały wymienione poniżej:

```
phptype://uzytkownik:haslo@protocol+serwer:110//usr/plik_bazy_danych.db
phptype://uzytkownik:haslo@serwer/nazwa_bazy_danych
phptype://uzytkownik:haslo@serwer
phptype://uzytkownik@hostspec
phptype://hostspec/nazwa_bazy_danych
phptype://hostspec
phptype:///nazwa_bazy_danych
phptype:///nazwa_bazy_danych?opcja=wartosc&inna_opcja=inna_wartosc
```

Obsługiwane sterowniki (PHPtype) zostały wymienione poniżej:

```
fbsql  -> FrontBase
ibase  -> InterBase / Firebird (wymaga PHP 5)
mssql  -> Microsoft SQL Server (NIE dla Sybase. PHP trzeba skompilować z
              -with-mssql)
mysql  -> MySQL
mysqli -> MySQL (obsługa nowego protokołu uwierzytelniania)
              (wymaga PHP 5)
oci8   -> Oracle 7/8/9/10
pgsql  -> PostgreSQL
querysim -> QuerySim
sqlite -> SQLite 2
```

Kod pozwalający na nawiązanie połączenia z bazą danych MySQL:

```
<?php
set_include_path(get_include_path().";". "C:/Program Files/PHP/pear;");
require_once 'MDB2.php';
$dsn = 'mysql://uzytkownik:haslo@localhost/test';
$options = array('persistent' => true
);
$mdb2 = MDB2::factory($dsn, $options);
if (PEAR::isError($mdb2)) {
   die($mdb2->getMessage());
}
// ...
$result = $mdb2->query("select * from users");
while ($row = $result->fetchRow(MDB2_FETCHMODE_ASSOC))
{
   echo $row['name']."\n";
```

```
}
$mdb2->disconnect();
?>
```

Wykonywanie zapytań preinterpretowanych

Zapytania preinterpretowane można bardzo łatwo wykonywać za pomocą biblioteki MDB2. Dostarcza ona bowiem elastyczne API służące do tworzenia i wykonywania zapytań preinterpretowanych. W przedstawionym poniżej przykładzie zostaną wykonane dwa rodzaje zapytań preinterpretowanych. Pierwsze z nich po prostu wykona pewne zapytania wstawiania, uaktualniania i usuwania rekordu. Natomiast drugie zapytanie zwróci dane wyjściowe.

```
<?php
set_include_path(get_include_path().";". "C:/Program Files/PHP/pear;");
require_once 'MDB2.php';
$dsn = 'mysql://uzytkownik:haslo@localhost/test';
$options = array('persistent' => true
);
$mdb2 = MDB2::factory($dsn, $options);
if (PEAR::isError($mdb2)) {
   die($mdb2->getMessage());
}
$stmt = $mdb2->Prepare("insert into users(name)
   values(?)",array("text"),MDB2_PREPARE_MANIP);
// W przypadku poleceń DML należy używać MDB2_PREPARE_MANIP..
// Natomiast podczas odczytu należy używać MDB2_PREPARE_RESULT.
echo $stmt->execute("Mohiuddin");
$stmt = $mdb2->Prepare("select name from users where
   id=?",array("integer"),array("text"));
$result = $stmt->execute(11);
if (PEAR::isError($result))
echo $result->getMessage();
while ($row = $result->fetchRow())
{
   echo $row[0];
}
?>
```

Co zrobić w sytuacji, gdy zachodzi potrzeba wstawienia danych do wielu kolumn? Przykładowo, jeżeli w tabeli znajduje się kolumna age, to dane można do niej wstawić w następujący sposób:

```
$stmt = $mdb2->Prepare("insert into users(name,age)
   values(?)",array("text","integer"),MDB2_PREPARE_MANIP);
echo $stmt->execute("Mohiuddin",2);
```

Lub:

```
$stmt = $mdb2->Prepare("insert into users(name,age)
   values(?)",array("text","integer"),MDB2_PREPARE_MANIP);
echo $stmt->execute(array("Mohiuddin",2));
```

Za pomocą metody executeMultiple() można wstawić jednocześnie kilka rekordów:

```
$stmt = $mdb2->Prepare("insert into users(name,age) values(?)",
   array("text","integer"),MDB2_PREPARE_MANIP);
echo $stmt->executeMultiple(array(array("Mohiuddin",2),
   array("another",3));
```

I to tyle!

Wprowadzenie do ActiveRecord

ActiveRecord jest wzorcem projektowym opracowanym w celu rozwiązania problemu uzyskiwania dostępu do danych w całkiem czytelny sposób. Za pomocą wzorca projektowego ActiveRecord programista może operować na danych w znacznie bardziej elegancki sposób. W podrozdziale zostaną przedstawione podstawowe funkcje implementacji wzorca projektowego ActiveRecord w PHP.

W pierwszej kolejności warto przekonać się, w jaki sposób ActiveRecord faktycznie działa. W tym celu zostanie użyta implementacja ActiveRecord w ADO. W ADOdb znajduje się klasa o nazwie Adodb_Active_Record, która służy do wykonywania operacji za pomocą ActiveRecord.

Rozpoczynamy od utworzenia w bazie danych tabeli o następującej strukturze:

```
CREATE TABLE 'users' (
   'id' int(11) NOT NULL auto_increment,
   'name' varchar(250),
   'pass' varchar(32),
   PRIMARY KEY ('id')
) ENGINE=MyISAM;
```

Tworzenie nowego rekordu za pomocą ActiveRecord

Następnym krokiem jest utworzenie w tabeli nowego użytkownika. Warto przeanalizować poniższy fragment kodu:

```
<?
include("adodb/adodb.inc.php");
include('adodb/adodb-active-record.inc.php');
$conn =ADONewConnection('mysql');
$conn->connect("localhost","uzytkownik","haslo","test") ;
ADODB_Active_Record::setDatabaseAdapter($conn);
class User extends ADODB_Active_Record {}
$user = new User(); // Dynamiczny model dostępu do tabeli user.
$user->name = "Packt";
```

```
$user->pass = "Hello";
$user->save(); // Wywołanie metody save() spowoduje wewnętrzne zapisanie rekordu w tabeli.
?>
```

ActiveRecord dla każdej tabeli bazy danych udostępnia oddzielny obiekt, na którym można wykonywać różne operacje. Kolejnym krokiem może być pobranie dowolnych danych.

Wybór lub uaktualnienie danych

Za pomocą ActiveRecord można bardzo łatwo wczytać bądź zmodyfikować dowolny rekord. Przeanalizujmy przedstawiony poniżej fragment kodu:

```
<?
include("adodb/adodb.inc.php");
include('adodb/adodb-active-record.inc.php');
$conn =ADONewConnection('mysql');
$conn->connect("localhost","uzytkownik","haslo","test") ;
ADODB_Active_Record::setDatabaseAdapter($conn);
class User extends ADODB_Active_Record {}
$user = new User();
$user->load("id=10"); // Wczytanie rekordu, którego ID wynosi 10.
echo $user->name;
$user->name= "Afif Mohiuddin"; // Uaktualnienie rekordu.
$user->save(); // Zapisanie poprzednio wczytanego rekordu.
?>
```

Widać, że są to całkiem łatwe operacje. Po wywołaniu metody `load()` z dowolnym wyrażeniem rekord zostanie wczytany do obiektu. Następnie można w nim przeprowadzić dowolne modyfikacje i zapisać z powrotem. ActiveRecord jest wyjątkowo eleganckim rozwiązaniem służącym do współpracy z bazą danych.

Podsumowanie

W ten sposób zakończył się rozdział w całości poświęcony współpracy z bazą danych za pomocą stylu OOP. Istnieje jeszcze kilka interesujących projektów, takie jak Propel (*http://propel.phpdb.org/trac/*), czyli biblioteka ORM dla programistów PHP, Creole (*http://creole.phpdb.org/trac/*), czyli DAL, biblioteka ActiveRecord z struktury CodeIgniter (*http://www.codeigniter.com*) i wiele innych. Programista dysponuje dużą liczbą źródeł służących do współpracy PHP z bazami danych w stylu zgodnym z OOP.

W następnym rozdziale zostaną poruszone zagadnienia związane z używaniem XML w PHP. Czytelnik będzie zaskoczony, że zwykłe pliki XML można wykorzystać jako lekką alternatywę dla dużych silników baz danych. W międzyczasie, owocnego programowania!

Używanie języka XML w stylu zgodnym z OOP

XML (ang. *Extensible Markup Language*) jest bardzo ważnym formatem pozwalającym na przechowywanie danych wykorzystywanych w różnych celach. Nazywany jest także uniwersalnym formatem danych, ponieważ za jego pomocą można przedstawić niemal wszystko oraz prawidłowo wizualizować dane poprzez zastosowanie generatora. Jedną z największych zalet formatu XML jest możliwość łatwej konwersji z jednej formy danych na inną, wykorzystując w tym celu XSLT. Ponadto dane XML są bardzo czytelne.

W języku PHP 5 kolejną ważną funkcją jest wprowadzenie doskonałej obsługi XML. Do łatwego przetwarzania danych XML służy nowe rozszerzenie. Programista otrzymuje do dyspozycji zupełnie nowe API **SimpleXML**, które pozwala na odczyt dokumentów XML w stylu zgodnym z programowaniem zorientowanym obiektowo. Ponadto dostępny jest obiekt **DOMDocument** służący do przetwarzania i tworzenia dokumentów XML. W rozdziale zostaną omówione wymienione API oraz zaprezentowane sposoby przetwarzania dokumentów XML w PHP.

Format dokumentu XML

Z myślą o czytelnikach nie mających wcześniej styczności z formatem XML poniżej przedstawiono powszechnie stosowaną strukturę dokumentu XML. Jeżeli czytelnik zna format XML, co jest pożądane w rozdziale, to bieżący podrozdział może pominąć.

Poniższy fragment kodu to dokument XML przedstawiający wiadomość e-mail:

```
<?xml version="1.0" encoding="ISO-8859-2" ?>
<emails>
```

```
    <email>
      <from>nowhere@notadomain.tld</from>
      <to>unknown@unknown.tld</to>
      <subject>brak tematu</subject>
      <body>Czy to jest treść wiadomości? O, tak.</body>
    </email>
</emails>
```

W powyższym fragmencie kodu wyraźnie widać, że dokumenty XML posiadają na początku krótką deklarację, która określa sposób kodowania znaków w dokumencie. Taka możliwość jest użyteczna do przechowywania tekstu w formacie Unicode. W dokumencie XML trzeba koniecznie stosować znaczniki zamykające. (Pod tym względem XML jest znacznie bardziej wymagający niż HTML, trzeba stosować konwencje).

Poniżej przedstawiono kolejny przykład dokumentu, w którym znajdują się znaki specjalne:

```
<?xml version="1.0" encoding="ISO-8859-2" ?>
<emails>
    <email>
      <from>nowhere@notadomain.tld</from>
      <to>unknown@unknown.tld</to>
      <subject>brak tematu</subject>
      <body><![CDATA[Czy to jest treść wiadomości? O, tak plus dodatkowy tekst
        & symbole.]]></body>
    </email>
</emails>
```

Z powyższego fragmentu kodu wynika, że wszystkie ciągi tekstowe zawierające znaki specjalne trzeba zawierać w elemencie CDATA.

Warto przypomnieć, że każdy element może posiadać pewne argumenty. Przykładowo, spójrzmy na poniższy fragment dokumentu XML, w którym następuje opis właściwości studenta:

```
<student age= "17" class= "11" title= "Mr.">Ozniak</student>
```

W powyższym wierszu kodu znacznik student posiada trzy atrybuty — age, class i title. Za pomocą języka PHP można bardzo łatwo wykonywać na nich operacje. W kolejnych podrozdziałach zostaną omówione sposoby przetwarzania dokumentów XML oraz tworzenia ich „w locie".

Wprowadzenie do SimpleXML

W języku PHP 4 istniały dwa sposoby przetwarzania dokumentów XML, które są również dostępne w PHP 5. Pierwszy z nich to przetwarzanie dokumentów za pomocą SAX (który jest standardem), natomiast drugi sposób to użycie DOM. Jednak przetwarzanie dokumentów XML za pomocą SAX zabiera dużą ilość czasu, podobnie jak napisanie kodu służącego do tego celu.

W języku PHP 5 wprowadzono nowe API, którego zadaniem jest ułatwienie przetwarzania dokumentów XML. Wymienione API nosi nazwę SimpleXML. Używając SimpleXML, programista może skonwertować dokument XML na postać tablicy. Każdy węzeł dokumentu będzie skonwertowany na łatwo dostępną postać, co znacznie upraszcza przetwarzanie dokumentu.

Przetwarzanie dokumentów

W podrozdziale zostanie zaprezentowany sposób przetwarzania prostych dokumentów XML za pomocą SimpleXML. Warto wziąć głęboki oddech i do dzieła!

```
<?
$str = <<< END
<emails>
   <email>
      <from>nowhere@notadomain.tld</from>
      <to>unknown@unknown.tld</to>
      <subject>brak tematu</subject>
      <body><![CDATA[Czy to jest treść wiadomości? O, tak plus dodatkowy tekst &
         symbole.]]></body>
   </email>
</emails>
END;
$sxml = simplexml_load_string($str);
print_r($sxml);
?>
```

Dane wyjściowe z powyższego fragmentu kodu są następujące:

```
SimpleXMLElement Object
(
   [email] => SimpleXMLElement Object
   (
      [from] => nowhere@notadomain.tld
      [to] => unknown@unknown.tld
      [subject] => brak tematu
      [body] => SimpleXMLElement Object
      (
      )
   )
)
```

Czytelnik może zadać pytanie, w jaki sposób uzyskać dostęp do poszczególnych właściwości? Odpowiedź jest prosta, tak samo jak w przypadku obiektu. Przykładowo, polecenie `$xml->email[0]` zwraca pierwszy obiekt `email`. Aby uzyskać dostęp do elementu `from` wymienionego obiektu, można użyć następującego kodu:

```
echo $sxml->email[0]->from
```

Dlatego też do każdego obiektu, który jest dostępny pojedynczo, można się odnieść poprzez jego nazwę. W przeciwnym razie, do obiektów trzeba odnosić się jak do zbioru. Przykładowo, jeżeli dostępnych jest kilka elementów, to dostęp do nich może odbywać się za pomocą pętli `foreach`:

```
foreach ($sxml->email as $email)
echo $email->from;
```

Uzyskiwanie dostępu do atrybutów

Jak zaprezentowano w poprzednim przykładzie, węzły XML mogą posiadać atrybuty. Czy czytelnik przypomina sobie przykładowy dokument z atrybutami `class`, `age` i `title`? Dostęp do wymienionych atrybutów można bardzo łatwo uzyskać za pomocą API SimpleXML. Przykład takiego rozwiązania został przedstawiony w poniższym fragmencie kodu:

```
<?
$str = <<< END
<emails>
   <email type="mime">
      <from>nowhere@notadomain.tld</from>
      <to>unknown@unknown.tld</to>
      <subject>brak tematu</subject>
      <body><![CDATA[Czy to jest treść wiadomości? O, tak plus dodatkowy tekst &
         symbole.]]></body>
   </email>
</emails>
END;
$sxml = simplexml_load_string($str);
foreach ($sxml->email as $email)
echo $email['type'];
?>
```

W oknie danych wyjściowych zostanie wyświetlony ciąg tekstowy `mime`. Po dokładnej analizie przedstawionego kodu czytelnik powinien zrozumieć, że każdy węzeł jest dostępny w taki sam sposób jak właściwości obiektu. Ponadto, wszystkie atrybuty są dostępne w taki sam sposób jak klucze tablicy. Przetwarzanie dokumentów XML za pomocą API SimpleXML to prawdziwa radość.

Przetwarzanie źródeł Flickr za pomocą SimpleXML

A może do kawy warto dodać odrobinę mleka i cukru? Do chwili obecnej przedstawiono ogólnie API SimpleXML oraz sposób jego używania. Jednak możliwość zaprezentowania praktycznego przykładu byłaby pożądana. Dlatego też następny przykład będzie pobierał źródła Flickr i wyświetlał zdjęcia na ekranie. Brzmi interesująco, nieprawdaż? Pora więc zabrać się do pracy.

Jeżeli czytelnik jest zainteresowany wyglądem źródeł zdjęć serwisu Flickr, to poniżej przedstawiono ich treść. Dane źródła zostały pobrane ze strony *http://www.flickr.com/services/feeds/ ↪photos_public.gne*:

```
<?xml version="1.0" encoding="utf-8" standalone="yes"?>
<feed xmlns="http://www.w3.org/2005/Atom"
      xmlns:dc="http://purl.org/dc/elements/1.1/" >
  <title>Everyone's photos</title>
  <link rel="self"
   href="http://www.flickr.com/services/feeds/photos_public.gne" />
  <link rel="alternate" type="text/html"
     href="http://www.flickr.com/photos/"/>
  <id>tag:flickr.com,2005:/photos/public</id>
  <icon>http://www.flickr.com/images/buddyicon.jpg</icon>
  <subtitle></subtitle>
  <updated>2007-07-18T12:44:52Z</updated>
  <generator uri="http://www.flickr.com/">Flickr</generator>
  <entry>
    <title>A-lounge 9.07_6</title>
    <link rel="alternate" type="text/html"
       href="http://www.flickr.com/photos/dimitranova/845455130/"/>
    <id>tag:flickr.com,2005:/photo/845455130</id>
    <published>2007-07-18T12:44:52Z</published>
    <updated>2007-07-18T12:44:52Z</updated>
            <dc:date.Taken>2007-07-09T14:22:55-08:00</dc:date.Taken>
    <content type="html">&lt;p&gt;&lt;a
    href=&quot;http://www.flickr.com/people/dimitranova/&quot;
    &gt;Dimitranova&lt;/a&gt; posted a photo:&lt;/p&gt;
    &lt;p&gt;&lt;a
       href=&quot;http://www.flickr.com/photos/dimitranova/845455130/
    &quot; title=&quot;A-lounge 9.07_6&quot;&gt;&lt;img src=&quot;
    http://farm2.static.flickr.com/1285/845455130_dce61d101f_m.jpg
    &quot; width=&quot;180&quot; height=&quot;240&quot; alt=&quot;
    A-lounge 9.07_6&quot; /&gt;&lt;/a&gt;&lt;/p&gt;
</content>
      <author>
        <name>Dimitranova</name>
        <uri>http://www.flickr.com/people/dimitranova/</uri>
      </author>
      <link rel="license" type="text/html" href="deed.en-us" />
        <link rel="enclosure" type="image/jpeg"
         href="http://farm2.static.flickr.com/1285/
                                          845455130_7ef3a3415d_o.jpg" />
  </entry>
  <entry>
    <title>DSC00375</title>
    <link rel="alternate" type="text/html"
     href="http://www.flickr.com/photos/53395103@N00/845454986/"/>
    <id>tag:flickr.com,2005:/photo/845454986</id>
    <published>2007-07-18T12:44:50Z</published>
```

```
    ...
  </entry>
</feed>
```

Kolejny krok to wyodrębnienie opisu z każdego zdjęcia i jego wyświetlenie. Kod wykonujący to zadanie został przedstawiony poniżej:

```
<?
$content =
   file_get_contents(
      "http://www.flickr.com/services/feeds/photos_public.gne ");
$sx = simplexml_load_string($content);
foreach ($sx->entry as $entry)
{
   echo "<a href='{$entry->link['href']}'>".$entry->title."</a><br/>";
   echo $entry->content."<br/>";
}
?>
```

Używanie API SimpleXML jest bardzo łatwe, nieprawdaż? Po uruchomieniu powyższego fragmentu kodu zostaną wyświetlone dane wyjściowe pokazane na rysunku 8.1.

Rysunek 8.1. Dane wyjściowe dokumentu XML przetwarzającego źródła Flickr

Zarządzanie sekcjami CDATA za pomocą SimpleXML

Jak wcześniej wspomniano, niektóre symbole nie mogą bezpośrednio występować jako wartości w węźle. Całą wartość należy umieścić w znaczniku CDATA. Przykładowo, spójrzmy na poniższy fragment kodu:

```
<?
$str = <<<EOT
<data>
   <content>tekst & grafika</content>
</data>
EOT;
$s = simplexml_load_string($str);
?>
```

Po jego uruchomieniu zostanie wygenerowany następujący komunikat błędu:

```
<br />
<b>Warning</b>:  simplexml_load_string()
     [<a href='function.simplexml-load-string'>
       function.simplexml-load-string</a>]:
     Entity: line 2: parser error : xmlParseEntityRef:
     no name in <b>C:\OOP_PHP5\Kody\rozdzial8\cdata.php</b>
     on line <b>10</b><br /><br />
<b>Warning</b>:  simplexml_load_string()
     [<a href='function.simplexml-load-string'>
       function.simplexml-load-string</a>]:
     &lt;content&gt;text &amp; images &lt;/content&gt;
     in <b>C:\OOP_PHP5\Kody\rozdzial8\cdata.php</b>
     on line <b>10</b><br /><br />
<b>Warning</b>:  simplexml_load_string()
     [<a href='function.simplexml-load-string'>
       function.simplexml-load-string</a>]:
     ^ in <b>C:\OOP_PHP5\Kody\rozdzial8\cdata.php</b>
     on line <b>10</b><br />
```

Aby uniknąć powstania wymienionego błędu, należy zastosować znacznik CDATA. Po zmodyfikowaniu kodu przedstawia się on następująco:

```
<data>
  <content><![CDATA[tekst & grafika]]></content>
</data>
```

Teraz kod działa bez zastrzeżeń. Zarządzanie sekcją CDATA nie wymaga od programisty podejmowania dodatkowych czynności.

```
<?
$str = <<<EOT
<data>
   <content><![CDATA[tekst & grafika]]></content>
```

```
</data>
EOT;
$s = simplexml_load_string($str);
echo $s->content; // Dane wyjściowe to "tekst & grafika".
?>
```

Jednak, używając PHP w wersji wcześniejszej niż 5.1, sekcję CDATA trzeba wczytywać w następujący sposób:

```
$s = simplexml_load_string($str,null,LIBXML_NOCDATA);
```

XPath

Kolejnym doskonałym usprawnieniem w API SimpleXML jest możliwość używania XPath. W tym miejscu czytelnik może zapytać, co to jest XPath? To po prostu wyrażenie językowe pomagające w znalezieniu określonych węzłów za pomocą sformatowanych danych wejściowych. W podrozdziale zostanie omówione znajdywanie określonych części dokumentu XML za pomocą SimpleXML i XPath. Rozpoczniemy od następującego fragmentu kodu:

```
<?xml version="1.0" encoding="utf-8"?>
<roles>
   <task type="analysis">
      <state name="new">
         <assigned to="cto">
            <action newstate="clarify" assignedto="pm">
               <notify>pm</notify>
               <notify>cto</notify>
            </action>
         </assigned>
      </state>
      <state name="clarify">
         <assigned to="pm">
            <action newstate="clarified" assignedto="pm">
               <notify>cto</notify>
            </action>
         </assigned>
      </state>
   </task>
</roles>
```

Dokument po prostu określa stan kolejki zadań, a następnie informuje, co należy zrobić i na jakim etapie. Zadaniem programisty jest odszukanie zadania do wykonania, którego rodzajem jest analysis, zostało przypisane do cto, a bieżący stan zadania to new. Dzięki wykorzystaniu API SimpleXML jest to naprawdę łatwe do wykonania. Spójrzmy na przedstawiony poniżej fragment kodu:

```
<?
$str = <<< EOT
<roles>
```

```
        <task type="analysis">
            <state name="new">
                <assigned to="cto">
                    <action newstate="clarify" assignedto="pm">
                        <notify>pm</notify>
                        <notify>cto</notify>
                    </action>
                </assigned>
            </state>
            <state name="clarify">
                <assigned to="pm">
                    <action newstate="clarified" assignedto="pm">
                        <notify>cto</notify>
                    </action>
                </assigned>
            </state>
        </task>
    </roles>
    EOT;
    $s = simplexml_load_string($str);
    $node = $s->xpath("//task[@type='analysis']/state[@name='new']
        /assigned[@to='cto']");
    echo $node[0]->action[0]['newstate']."\n";
    echo $node[0]->action[0]->notify[0];
    ?>
```

Po uruchomieniu powyższego kodu zostaną wyświetlone następujące dane wyjściowe:

```
clarify
pm
```

W trakcie używania XPath trzeba pamiętać o jednym ważnym elemencie. Gdy po XPath znajduje się ukośnik (/), oznacza to, że program będzie szukał dokładnej sekwencji dokumentu XML. Przykładowo:

```
echo count($s->xpath("//state"));
```

Dane wyjściowe powyższego wiersza kodu to `2`.

Zapis `//state` oznacza węzeł `state` w dowolnym miejscu dokumentu. Po użyciu zapisu `task` ↳`//state` zostaną zwrócone wszystkie stany (`state`) ze wszystkich zadań (`task`). Przykładowo, poniższy fragment kodu zwróci wartości `3` i `3`:

```
echo count($s->xpath("//notify"));
echo count($s->xpath("task//notify"));
```

W jaki sposób odnaleźć `notify` w węźle `state`, jeśli szukany element jest poprzedzony przez `assigned` i `action`? W takim przypadku zapytanie XPath powinno mieć postać `//state/assig` ↳`ned/action/notify`.

Natomiast jeżeli szukany element ma znajdować się w węźle task, który znajduje się w węźle głównym, to zapytanie powinno mieć postać /task/state/assigned/action/notify.

Jeżeli zachodzi potrzeba dopasowania dowolnego atrybutu, to trzeba użyć polecenia [@Attri↪buteName1='value'][@AttributeName2='value']. Po analizie poniższego zapytania XPath powinno to być już całkiem jasne:

```
//task[@type='analysis']/state[@name='new']/assigned[@to='cto']
```

DOM API

W języku PHP API SimpleXML jest używane w celu przetwarzania dokumentów XML, jednak nie pozwala na tworzenie jakichkolwiek dokumentów XML. Do tworzenia dokumentów XML „w locie" należy używać API DOM, które również znajduje się w PHP 5. Za pomocą API DOM można także bardzo łatwo tworzyć fragmenty strony.

W podrozdziale zostanie omówione tworzenie dokumentów XML za pomocą API DOM, a także przetwarzanie i modyfikowanie istniejących dokumentów.

Przedstawiony poniżej fragment kodu powoduje utworzenie prostego pliku HTML:

```
<?
  $doc = new DOMDocument("1.0","UTF-8");
  $html = $doc->createElement("html");
  $body = $doc->createElement("body");
  $h1 = $doc->createElement("h1","Styl OOP w PHP");
  $body->appendChild($h1);
  $html->appendChild($body);
  $doc->appendChild($html);
  echo $doc->saveHTML();
?>
```

Dane wyjściowe powyższego fragmentu kodu to następujący kod HTML:

```
<html>
  <body>
    <h1>Styl OOP w PHP</h1>
  </body>
</html>
```

To było całkiem łatwe, nieprawdaż?

Oto kolejny fragment kodu używający API DOM:

```
<?
  $doc = new DOMDocument("1.0","UTF-8");
  $html = $doc->createElement("html");
  $body = $doc->createElement("body");
```

```
    $h1 = $doc->createElement("h1","Styl OOP w PHP");
    $h1->setAttribute("id","firsth1");
    $p = $doc->createElement("p");
    $p->appendChild($doc->createTextNode("Witaj - a co z tekstem?"));
    $body->appendChild($h1);
    $body->appendChild($p);
    $html->appendChild($body);
    $doc->appendChild($html);
    echo $doc->saveHTML();
?>
```

Dane wyjściowe powyższego fragmentu kodu to następujący kod HTML:

```
<html><body>
    <h1 id="firsth1">Styl OOP w PHP</h1>
    <p>Witaj - a co z tekstem?</p>
</body></html>
```

Powyższe przykłady pokazują, że kod XML wygenerowany przez silnik DOM można zapisać do pliku w systemie plików za pomocą poniższego polecenia:

```
file_put_contents("c:/abc.xml", $doc->saveHTML());
```

Modyfikacja istniejących dokumentów

API DOM pozwala nie tylko na łatwe tworzenie dokumentów XML, ale również na ich wczytywanie i modyfikację. Przedstawiony poniżej fragment kodu wczytuje plik utworzony w poprzednim przykładzie, a następnie modyfikuje nagłówek pierwszego obiektu `h1`:

```
<?php
    $uri = 'c:/abc.xml';
    $document = new DOMDocument();
    $document->loadHTMLFile($uri); // Wczytanie zawartości podanego adresu URL
                                   // jako kodu HTML.
    $h1s = $document->getElementsByTagName("h1"); // Wyszukanie wszystkich
                                                  // elementów h1.
    $newText = $document->createElement("h1","Nowy nagłówek"); // Utworzenie
                                                              // nowego elementu h1.
    $h1s->item(0)->parentNode->insertBefore($newText,
    $h1s->item(0)); // Wstawienie przed istniejącym elementem h1.
    $h1s->item(0)->parentNode->removeChild($h1s->item(1)); // Usunięcie
                                                          // poprzedniego elementu h1.
    echo $document->saveHTML(); // Wyświetlenie zawartości jako kodu HTML.
?>
```

Dane wyjściowe powyższego fragmentu kodu to następujący kod HTML:

```
<!DOCTYPE html PUBLIC "-//W3C//DTD HTML 4.0 Transitional//EN"
 "http://www.w3.org/TR/REC-html40/loose.dtd">
<html><body>
<h1>Nowy nagłówek </h1>
<p>Witaj - a co z tekstem?</p>
</body></html>
```

Inne użyteczne funkcje

W bibliotece DOM dostępne są także inne użyteczne funkcje. Mimo że nie zostaną one szczegółowo omówione w rozdziale, to warto je tutaj wymienić:

- `DomNode->setAttribute():` — funkcja pomaga w ustawieniu atrybutu dowolnego węzła.
- `DomNode->hasChildNodes():` — funkcja zwraca wartość `true`, jeśli węzeł DOM posiada węzeł potomny.
- `DomNode->replaceChild():` — funkcja zastępuje dowolny węzeł potomny innym.
- `DomNode->cloneNode():` — funkcja tworzy dokładną kopię bieżącego węzła.

Podsumowanie

API XML w języku PHP 5 odgrywa ważną rolę podczas tworzenia aplikacji sieciowych, głównie dzięki nowemu API SimpleXML, które ułatwia przetwarzanie dokumentów XML. W chwili obecnej format XML jest jednym z najczęściej używanych formatów danych w niemal wszystkich dużych aplikacjach. Z tego powodu poznanie API XML oraz pokrewnych technologii niewątpliwie pomoże programiście w łatwiejszym tworzeniu aplikacji bazujących na XML.

W następnym rozdziale zostanie omówiona architektura MVC oraz sposób samodzielnego tworzenia eleganckiej struktury MVC.

Używanie architektury MVC

W rozdziale 4. pokazano, w jaki sposób stosowanie wzorców projektowych może uprościć pracę programisty dzięki dostarczaniu powszechnych rozwiązań często spotykanych problemów. Jednym z popularnych wzorców projektowych używanych podczas tworzenia programów to architektura **Model-View-Controller**, znana również jako **MVC**. W środowisku RAD (*Rapid Application Development*) dla języka PHP architektura MVC odgrywa istotną rolę. W chwili obecnej wiele architektur MVC znalazło się w centrum zainteresowania, a kilka z nich osiągnęło stadium rozwoju pozwalające na zastosowanie w przemyśle. Przykładowo, struktura **symfony** została użyta do opracowania Yahoo Bookmarks, z kolei CakePHP wykorzystano podczas refaktoringu Mambo, a CodeIgniter stosuje się w wielu dużych aplikacjach, które zostały wymienione na witrynie CodeIgniter. Istnieją także inne popularne architektury MVC, na przykład Zend, używane przez IBM oraz podczas opracowania rozwiązania e-commerce typu open source o nazwie Magento.

W chwili obecnej tworzenie kodu całkowicie od początku i jego późniejsze ulepszanie jest zbędne i naprawdę można uniknąć takiej konieczności. W rozdziale zostaną przedstawione podstawowe informacje na temat architektury MVC, a także kilka popularnych architektur.

Co to jest MVC?

Jak sama nazwa wskazuje, architektura MVC składa się z trzech komponentów. Pierwszy to *Model* (model), drugi to *View* (widok), a ostatnim jest *Controller* (kontroler). Wymienienie jedynie ich nazw nie ma większego sensu, warto poznać je nieco dokładniej. Pierwszy komponent — Model — jest obiektem, który współpracuje z bazą danych. Cała logika biznesowa programu zwykle zostaje umieszczona w modelu. Z kolei Controller to fragment kodu pobierający dane wejściowe użytkownika i na ich podstawie inicjalizujący modele oraz inne obiekty, a także wywołujący je wszystkie. Ostatni komponent — View — jest odpowiedzialny za wyświetlenie danych wygenerowanych przez Controller za pomocą modelu.

Dobra praktyka programistyczna zakłada, że żadna logika biznesowa nie powinna być implementowana w komponencie View lub Controller. Podobnie, danych wyjściowych nie należy nigdy przetwarzać w modelu. Ponadto, bezpośrednio z komponentu Controller nie należy nigdy generować żadnych danych wyjściowych. (Zamiast tego należy skorzystać z komponentu View).

W kolejnych podrozdziałach zostanie utworzona bardzo mała architektura MVC.

Rozplanowanie projektu

Aby skutecznie zaprogramować jakikolwiek program, trzeba posiadać jasno zdefiniowane cele. Kiedy architektura programu będzie solidna, stabilna i odporna na działania użytkowników, to można spodziewać się dużej liczby użytkowników używających takiego programu. Tworzona w rozdziale architektura MVC będzie spełniała następujące warunki:

- Małe wymagania w zakresie wolnego miejsca.
- Łatwe wczytywanie komponentów, bibliotek, procedur pomocniczych i modeli.
- Elegancka i elastyczna składnia komponentu View.
- Doskonała obsługa popularnych serwerów baz danych.
- Małe wymagania dotyczące zasobów.
- Łatwa w użyciu.
- Łatwa integracja z komponentami innych architektur, takich jak Pear, ezComponents, itd.
- Wbudowana obsługa buforowania.
- Projekt obsługuje Ruby on Rails w celu umożliwienia łatwego tworzenia aplikacji sieciowych.
- Rodzimy kompresor gzip dla kodu JavaScript.
- Obsługa technologii Ajax.

Projekt pliku rozruchowego

Zadaniem pliku rozruchowego jest przygotowanie środowiska do pomyślnego wykonania programu oraz integracja kontrolerów, modeli i widoków. Podstawowym zadaniem pliku rozruchowego jest inicjalizacja środowiska, routera, wczytanie obiektów oraz przekazanie kontrolerowi wszystkich parametrów wejściowych. W programie zostanie utworzony plik rozruchowy, który będzie otrzymywał wszystkie parametry żądania URL za pomocą mod_rewrite.

> mod_rewrite jest modułem serwera Apache, którego zadaniem jest pomoc podczas przekierowania żądania zdefiniowanego przez wzorzec (wyrażenie regularne) do innego żądania URL. Ten moduł jest istotny w niemal każdej aplikacji sieciowej. Więcej informacji na temat modułu mod_rewrite znajduje się na stronie *http://httpd.apache.org/docs/2.0/mod/mod_rewrite.html.*

Aby włączyć obsługę modułu mod_rewrite, można skorzystać z przedstawionych poniżej informacji. Pierwszym krokiem jest edycja pliku konfiguracyjnego *httpd.conf* i dodanie następujących wierszy:

```
LoadModule rewrite_module modules/mod_rewrite.so
<Directory />
   Options FollowSymLinks
   AllowOverride None
   Order deny,allow
   Deny from all
   Satisfy all
</Directory>
```

W pliku o nazwie *.htaccess* należy umieścić następujący kod, a plik następnie umieścić w katalogu głównym aplikacji:

```
RewriteEngine on
RewriteCond $1 !^(index\.php|images|robots\.txt)
RewriteCond %{REQUEST_FILENAME} !-f
RewriteCond %{REQUEST_FILENAME} !-d
RewriteRule ^(.*)$ index.php?$1
```

Przedstawiony powyżej kod powoduje przekierowanie każdego żądania do pliku *index.php*, który będzie plikiem rozruchowym aplikacji. Wymieniony plik będzie otrzymywał wszystkie żądania URL, a następnie dzielił je na różne części, na przykład kontroler, akcja i parametry. Przykładowy format żądania może przyjąć postać *http://aplikacja/kontroler/akcja/parametr/* ↪*parametr.../parametr*. Plik rozruchowy przeprowadzi analizę żądania URL za pomocą routera, a następnie za pomocą obiektu dispatcher wywoła odpowiedni kontroler oraz akcję z wskazanymi parametrami.

Plik rozruchowy (*index.php*) tworzonej aplikacji jest następujący:

```
<?
include("core/ini.php");
initializer::initialize();
$router = loader::load("router");
dispatcher::dispatch($router);
?>
```

W powyższym fragmencie kodu widać obiekt o nazwie `loader`. Jego głównym przeznaczeniem jest wczytanie obiektów za pomocą wzorca projektowego Singleton. W ten sposób nastąpi minimalizacja obciążenia systemu. Przy użyciu wymienionego obiektu zostanie wczytany inny obiekt o nazwie `router`. Jest jeszcze trzeci obiekt — `dispatcher`, który za pomocą routera przeprowadzi rozdzielenie żądania sieciowego.

Poniżej przedstawiono kod pliku *ini.php* (z katalogu *core*), który stanowi procedurę pomocniczą pozwalającą na łatwe dołączanie plików klas z różnych katalogów:

```
<?
set_include_path(get_include_path().PATH_SEPARATOR."core/main");
function __autoload($object)
{
   require_once("{$object}.php");
}
?>
```

Kod pliku *initializer* (*core/main/initializer.php*) jest następujący:

```
<?
class initializer
{
   public static function initialize()
   {
   set_include_path(get_include_path().PATH_SEPARATOR."core/main");
   set_include_path(get_include_path().PATH_SEPARATOR. "core/main/cache");
   set_include_path(get_include_path().PATH_SEPARATOR."core/helpers");
   set_include_path(get_include_path().PATH_SEPARATOR. "core/libraries");
   // set_include_path(get_include_path().PATH_SEPARATOR. "app/controllers");
   set_include_path(get_include_path().PATH_SEPARATOR."app/models");
   set_include_path(get_include_path().PATH_SEPARATOR."app/views");
   // include_once("core/config/config.php");
   }
}
?>
```

Po dokładnym przyjrzeniu się kodowi pliku *initializer* można zauważyć, że w rzeczywistości powoduje on rozszerzenie ścieżki dostępu.

Poniżej przedstawiono kod pliku *loader* (*core/main/loader.php*), który powoduje wczytanie różnych komponentów za pomocą wzorca projektowego Singleton:

```
<?
class loader
{
   private static $loaded = array();
   public static function load($object)
   {
      $valid = array( "library",
```

```
        "view",
        "model",
        "helper",
        "router",
        "config",
        "hook",
        "cache",
        "db");
        if (!in_array($object,$valid))
        {
           $config = self::load("config");
           if ("on"==$config->debug)
           {
              base::backtrace();
           }
           throw new Exception("Brak poprawnego obiektu '{$object}' do wczytania");
        }
        if (empty(self::$loaded[$object])){
           self::$loaded[$object]= new $object();
        }
        return self::$loaded[$object];
     }
  }
  ?>
```

Obiekt `loader` używa pliku *config.php* (*core/main/config.php*), który w rzeczywistości wczytuje różne konfiguracje z pliku *configs.php* (z katalogu *config*):

```
<?
class config
{
   private $config;
   function __construct()
   {
      global $configs;
      include_once("core/config/configs.php");
      include_once("app/config/configs.php");
      $this->config = $configs;
   }
   private function __get($var)
   {
      return $this->config[$var];
   }
}
?>
```

Zawartość pliku *configs.php* jest następująca:

```
<?
$configs['debug']="on";
```

```
$configs['base_url']="http://localhost/orchid";
$configs['global_profile']=true;
$configs['allowed_url_chars'] = "/[^A-z0-9\/\^]/";
$configs['default_controller']="welcome";
?>
```

Po dokładnym przyjrzeniu się kodowi pliku *loader.php* można w nim odnaleźć następującą sekcję:

```
$config = self::load("config");
if ("on"==$config->debug)
{
   base::backtrace();
}
```

Polecenie `$config->debug` w rzeczywistości zwraca wartość `$configs['debug']` za pomocą metody magicznej `__get()` z pliku *config.php*.

W klasie `loader` znajduje się metoda o nazwie `base::backtrace()`. Wymieniony `base` jest obiektem statycznym zadeklarowanym w pliku *core/libraries/base.php* i zawiera użyteczne funkcje używane w całej strukturze. Zawartość pliku *core/libraries/base.php* jest następująca:

```
<?
class base{
   public static function pr($array)
   {
      echo "<pre>";
      print_r($array);
      echo "</pre>";
   }
   public static function backtrace()
   {
      echo "<pre>";
      debug_print_backtrace();
      echo "</pre>";
   }
   public static function basePath()
   {
      return getcwd();
   }
   public static function baseUrl()
   {
      $conf = loader::load("config");
      return $conf->base_url;
   }
?>
```

Dlatego też metoda `base::backtrace()` w rzeczywistości generuje `debug_backtrace` w celu łatwiejszego śledzenia wyjątków.

Jak dotąd nie został jeszcze przedstawiony kod plików *router.php* i *dispatcher.php*. Wymienione pliki stanowią jednak główną część całej aplikacji. Poniżej przedstawiono więc zawartość pliku *router.php* (*core/main/router.php*):

```
<?
class router
{
   private $route;
   private $controller;
   private $action;
   private $params;
   public function __construct()
   {
      if(file_exists("app/config/routes.php"))
      {
         require_once("app/config/routes.php");
      }
      $path = array_keys($_GET);
      $config = loader::load("config");
      if (!isset($path[0]))
      {
         $default_controller = $config->default_controller;
         if (!empty($default_controller))
            $path[0] = $default_controller;
         else
            $path[0] = "index";
      }
      $route= $path[0];
      $sanitzing_pattern = $config->allowed_url_chars;
      $route = preg_replace($sanitzing_pattern, "", $route);
      $route = str_replace("^","",$route);
      $this->route = $route;
      $routeParts = split( "/",$route);
      $this->controller=$routeParts[0];
      $this->action=isset($routeParts[1])? $routeParts[1]:"base";
      array_shift($routeParts);
      array_shift($routeParts);
      $this->params=$routeParts;
      /* Dopasowanie wzorca routingu zdefiniowanego przez użytkownika. */
      if (isset($routes)){
         foreach ($routes as $_route)
         {
            $_pattern = "~{$_route[0]}~";
            $_destination = $_route[1];
            if (preg_match($_pattern,$route))
            {
               $newrouteparts = split("/",$_destination);
               $this->controller = $newrouteparts[0];
               $this->action = $newrouteparts[1];
```

```
                }
            }
        }
    }
    public function getAction()
    {
        if (empty($this->action)) $this->action="main";
        return $this->action;
    }
    public function getController()
    {
        return $this->controller;
    }
    public function getParams()
    {
        return $this->params;
    }
}
?>
```

Faktycznym zadaniem routera jest odszukanie kontrolera, akcji i parametrów w żądaniu URL. Jeżeli nazwa kontrolera nie zostanie odnaleziona, wtedy będzie użyta domyślna nazwa kontrolera. W przypadku gdy w pliku config nie zostanie znaleziona nazwa kontrolera domyślnego, jako kontroler domyślny zostanie użyty `index`.

Przed przejściem do rozdzielenia żądania trzeba odszukać widok, który będzie użyty jako szablon, tak aby z poziomu kontrolera można ustawić zmienne, na przykład w następujący sposób: `$this->view->set(nazwa_zmiennej, wartość)`. Następnie w pliku widoku każdy będzie miał dostęp do ustawionej zmiennej przy użyciu zapisu `$nazwa_zmiennej`.

Zawartość pliku *view.php* (*core/main/view.php*) została przedstawiona poniżej:

```
<?
class view
{
    private $vars=array();
    private $template;
    public function set($key, $value)
    {
        $this->vars[$key]=$value;
    }
    public function getVars(&$controller=null)
    {
        if (!empty($controller)) $this->vars['app']=$controller;
        return $this->vars;
    }
    public function setTemplate($template)
    {
        $this->template = $template;
```

```
    }
    public function getTemplate($controller=null)
    {
       if (empty($this->template)) return $controller;
       return $this->template;
    }
    private function __get($var)
    {
       return loader::load($var);
    }
}
?>
```

Kod klasy dispatcher (*core/main/dispatcher.php*), która jest kluczowym elementem struktury, przedstawia się następująco:

```
<?
class dispatcher
{
    public static function dispatch($router)
    {
       global $app;
       // $cache = loader::load("cache");
       ob_start();
       $config = loader::load("config");
       if ($config->global_profile) $start = microtime(true);
       $controller = $router->getController();
       $action = $router->getAction();
       $params = $router->getParams();
       if (count($params)>1){
          if ("unittest"==$params[count($params)-1] ||
             '1'==$_POST['unittest'])unittest::setUp();
          }
          $controllerfile = "app/controllers/{$controller}.php";
          if (file_exists($controllerfile)){
             require_once($controllerfile);
             $app = new $controller();
             $app->use_layout = true;
             $app->setParams($params);
             $app->$action();
             unittest::tearDown();
             ob_end_clean();
             // Zarządzanie widokiem.
             ob_start();
             $view = loader::load("view");
             $viewvars = $view->getVars($app);
             $uselayout = $config->use_layout;
             if (!$app->use_layout) $uselayout=false;
             $template = $view->getTemplate($action);
```

```
            base::_loadTemplate($controller, $template,
               $viewvars, $uselayout);
            if (isset($start))
               echo "<p>Całkowity czas rozdzielenia:
                  ".(microtime(true)-$start)." sekund.</p>";
               $output = ob_get_clean();
               // $cache->set("abcde",array
               //      ("content"=>base64_encode($output)));
               echo $output;
            }
            else
            throw new Exception("Kontroler nie został znaleziony.");
      }
   }
   ?>
```

Głównym zadaniem tej klasy (jak przedstawiono na pogrubionych wierszach kodu) jest pobranie obiektu routera jako parametru, a następnie odszukanie kontrolera, akcji i parametrów z routera. Jeżeli plik kontrolera będzie dostępny, to zostanie wczytany i nastąpi inicjalizacja kontrolera. Po zakończeniu inicjalizacji zostanie wykonana akcja.

Kolejny krok to inicjalizacja obiektu bieżącego widoku za pomocą `loadera`. Ponieważ ten proces następuje poprzez wzorzec projektowy Singleton, to wszystkie ustawione zmienne pozostają w zasięgu. Obiekt `dispatch` przekazuje dane do pliku szablonu widoku, a zmienne do funkcji o nazwie `_loadTemplate()`.

Powstaje pytanie o przeznaczenie zmiennej `$userlayout`. Wskazuje ona po prostu, czy plik układu strony powinien zostać dołączony do szablonu. Jej działanie warto zobaczyć w praktyce.

Kod funkcji `_loadTemplate()` został przedstawiony poniżej:

```
public static function _loadTemplate($controller, $template,
      $vars, $uselayout=false)
{
   extract($vars);
   if ($uselayout)
   ob_start();
   $templatefile ="app/views/{$controller}/{$template}.php";
   if (file_exists($templatefile)){
      include_once($templatefile);
   }
   else
   {
      throw new Exception("Widok '{$template}.php' nie został znaleziony
         w katalogu views/{$controller}.");
   }
   if ($uselayout) {
      $layoutdata = ob_get_clean();
      $layoutfilelocal = "app/views/{$controller}/{$controller}.php";
```

```
        $layoutfileglobal = "app/views/layouts/{$controller}.php";
        if (file_exists($layoutfilelocal))
           include_once($layoutfilelocal);
        else
        include_once($layoutfileglobal);
    }
}
```

Na przedstawionym poniżej rysunku 9.1 pokazano położenie wszystkich plików struktury. Pokazana na rysunku struktura katalogów powinna być pomocna w zrozumieniu projektu.

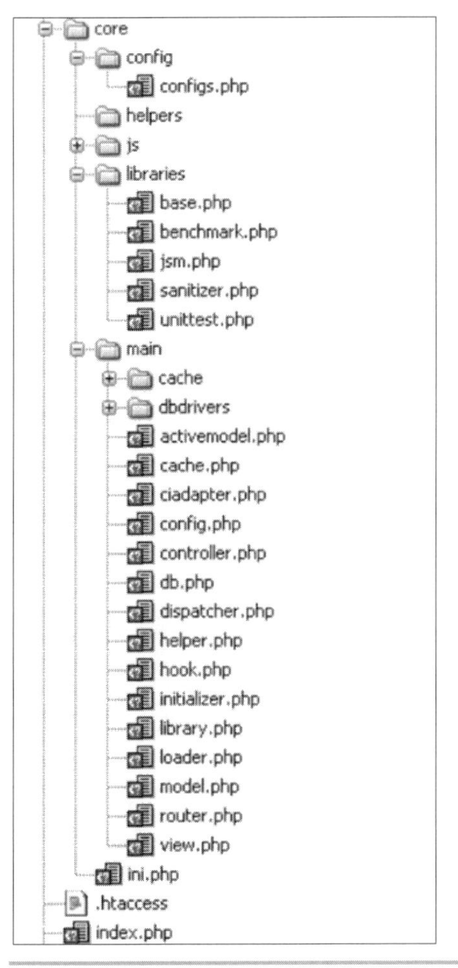

Rysunek 9.1. Położenie wszystkich plików tworzonej struktury

W jakim celu struktura katalogów zawiera pliki, takie jak *jsm.php*, *benchmark.php*, *unittest.php*, *helper.php*, *model.php*, *library.php*, *cache.php* i *db.php*? Odpowiedź jest dość prosta — pliki będą pomocne w następujących sekcjach:

- *jsm.php* — pomaga wczytywanie plików JavaScript z automatyczną kompresją GZIP.
- *db.php* — plik służy do nawiązywania połączeń z różnymi bazami danych.
- *library.php* — plik pomaga we wczytywaniu plików bibliotek.
- *unittest.php* — plik pomagający w automatyzacji testów jednostkowych.
- *model.php* — plik pomagający we wczytywaniu modeli służących do uzyskiwania dostępu do baz danych.

Warto zapoznać się z zadaniami wykonywanymi przez klasy `model` i `library`.

Zawartość pliku *model.php* (*core/main.model.php*) jest następująca:

```
<?
class model
{
   private $loaded = array();
   private function __get($model)
   {
      $model .="model";
      $modelfile = "app/models/{$model}.php";
      $config = loader::load("config");
      if (file_exists($modelfile))
      {
         include_once($modelfile);
         if (empty($this->loaded[$model]))
         {
            $this->loaded[$model]=new $model();
         }
         $modelobj = $this->loaded[$model];
         if ($config->auto_model_association)
         {
            $this->associate($modelobj, $_REQUEST); // Automatyczne dołączenie.
         }
         return $modelobj;
      }
      else
      {
         throw new Exception("Model {$model} nie został znaleziony.");
      }
   }
   private function associate(&$obj, $array)
   {
      foreach ($array as $key=>$value)
      {
         if (property_exists($obj, $key))
         {
            $obj->$key = $value;
         }
```

```
            }
        }
    }
    ?>
```

Po każdorazowym wysłaniu formularza dowolny model powinien być wypełniony tuż po inicjalizacji. Dlatego też w kodzie znajduje się zmienna konfiguracyjna `auto_model_association`, która służy do tego celu. Jeżeli jej wartość wyniesie `true`, modele zostaną automatycznie dołączone.

Kod pliku *library.php* (*core/main/library.php*) jest następujący:

```
<?
class library
{
   private $loaded = array();
   private function __get($lib)
   {
      if (empty($this->loaded[$lib]))
      {
         $libnamecore = "core/libraries/{$lib}.php";
         $libnameapp = "app/libraries/{$lib}.php";
         if (file_exists($libnamecore))
         {
            require_once($libnamecore);
            $this->loaded[$lib]=new $lib();
         }
         else if(file_exists($libnameapp))
         {
            require_once($libnameapp);
            $this->loaded[$lib]=new $lib();
        }
        else
        {
            throw new Exception("Biblioteka {$lib} nie została znaleziona.");
         }
      }
      return $this->loaded[$lib];
   }
}
?>
```

Plik *library.php* pomaga jedynie we wczytywaniu plików poprzez wzorzec projektowy Singleton.

Kolejny element to klasa wczytująca kod JavaScript, który domyślnie dostarcza każdą bibliotekę skompresowaną metodą kompresji GZIP. W chwili obecnej wszystkie przeglądarki obsługują kompresję GZIP, której stosowanie powoduje szybsze wczytywanie obiektów. Tworzona w rozdziale struktura będzie posiadała wbudowaną obsługę dla bibliotek Prototype, jQuery oraz script.aculo.us.

Zawartość pliku *jsm.php* (*core/main/jsm.php*) jest następująca:

```
<?
/**
 * Menedżer kodu Javascript
 *
 */
class jsm
{
   function loadPrototype()
   {
      $base = base::baseUrl();
      echo "<script type='text/javascript'
         src='{$base}/core/js/gzip.php?js=prototypec.js'>\n";
   }
   function loadScriptaculous()
   {
      $base = base::baseUrl();
      echo "<script type='text/javascript'
         src='{$base}/core/js/gzip.php?js=scriptaculousc.js'>\n";
   }
   function loadProtaculous()
   {
      $base = base::baseUrl();
      echo "<script type='text/javascript'
         src='{$base}/core/js/gzip.php?js=prototypec.js'>\n";
      echo "<script type='text/javascript'
         src='{$base}/core/js/gzip.php?js=scriptaculousc.js'>\n";
   }
   function loadJquery()
   {
      $base = base::baseUrl();
      echo "<script type='text/javascript'
         src='{$base}/core/js/gzip.php?js=jqueryc.js'>\n";
   }
   /**
    * Pliki stosowane w danej aplikacji.
    *
    * @param string $filename
   */
   function loadScript($filename)
   {
      $base = base::baseUrl();
      $script = $base."/app/js/{$filename}.js";
      echo "<script type='text/javascript'
         src='{$base}/core/js/gzip.php?js={$script}'>\n";
   }
}
?>
```

Po dokładnym przyjrzeniu się powyższemu kodowi widać, że każdy plik JavaScript jest wczytywany za pomocą skryptu *gzip.php*, który w rzeczywistości jest odpowiedzialny za kompresję treści. Kod pliku *gzip.php* (*core/main/gzip.php*) został przedstawiony poniżej:

```
<?php
ob_start("ob_gzhandler");
header("Content-type: text/javascript; charset: UTF-8");
header("Cache-Control: must-revalidate");
$offset = 60 * 60 * 24 * 3;
$ExpStr = "Expires: " .
   gmdate("D, d M  H:i:s",  time() + $offset) . " GMT";
header($ExpStr);
$js = $_GET['js'];
if (in_array($js,
   array("prototypec.js","scriptaculousc.js","jqueryc.js")))
      include(urldecode($_GET['js']));
?>
```

Jeżeli w programie trzeba wczytać jeszcze inne biblioteki, to kod można zmodyfikować i dodać następujący wiersz:

```
if (in_array($js,
   array("prototypec.js","scriptaculousc.js","jqueryc.js")))
```

Wreszcie, w projekcie jest jeszcze plik o nazwie *unittest.php*, którego zadaniem jest pomoc programiście w pisaniu testów jednostkowych podczas opracowywania programu. Wymieniony plik odpowiada za testy jednostkowe i używa opcji konfiguracyjnej Boolean o nazwie `unit_test_enabled`.

Zawartość pliku *unittest.php* (*core/main/unittest.php*) jest następująca:

```
<?
class unittest
{
   private static $results = array();
   private static $testmode = false;
   public static function setUp()
   {
      $config = loader::load("config");
      if ($config->unit_test_enabled){
         self::$results = array();
         self::$testmode = true;
      }
   }
   public static function tearDown()
   {
      if (self::$testmode)
      {
         self::printTestResult();
```

```
            self::$results = array();
            self::$testmode = false;
            die();
        }
    }
    public static function printTestResult()
    {
        foreach (self::$results as $result)
        {
            echo $result."<hr/>";
        }
    }
    public static function assertTrue($object)
    {
        if (!self::$testmode) return 0;
        if (true==$object) $result = "zaliczony";
        self::saveResult(true, $object, $result);
    }
    public static function assertEqual($object, $constant)
    {
        if (!self::$testmode) return 0;
        if ($object==$constant)
        {
            $result = 1;
        }
        self::saveResult($constant, $object, $result);
    }
    private static function getTrace()
    {
        $result = debug_backtrace();
        $cnt = count($result);
        $callerfile = $result[2]['file'];
        $callermethod = $result[3]['function'];
        $callerline = $result[2]['line'];
        return array($callermethod, $callerline, $callerfile);
    }
    private static function saveResult($expected, $actual,
                                            $result=false)
    {
        if (empty($actual)) $actual = "null/false";
        if ("failed"==$result || empty($result))
        $result = "<font color='red'><strong>niezaliczony</strong></font>";
        else
        $result = "<font color='green'><strong>zaliczony</strong></font>";
        $trace = self::getTrace();
        $finalresult = "Test {$result} in metodzie:
            <strong>{$trace[0]}</strong>. Wiersz:
            <strong>{$trace[1]}</strong>. Plik:
            <strong>{$trace[2]}</strong>. <br/> Wartość oczekiwana:
```

```
            <strong>{$expected}</strong>, Wartość bieżąca:
            <strong>{$actual}</strong>. ";
        self::$results[] = $finalresult;
    }
    public static function assertArrayHasKey($key, array $array,
                                                       $message = '')
    {
        if (!self::$testmode) return 0;
        if (array_key_exists($key, $array))
        {
            $result = 1;
            self::saveResult("Tablica posiada klucz o nazwie '{$key}'",
                "Tablica posiada klucz o nazwie '{$key}'", $result);
            return ;
        }
        self::saveResult("Tablica posiada klucz o nazwie '{$key}'",
            "Tablica nie posiada klucza o nazwie '{$key}'", $result);
    }
    public static function assertArrayNotHasKey($key, array $array,
                                                   $message = '')
    {
        if (!self::$testmode) return 0;
        if (!array_key_exists($key, $array))
        {
            $result = 1;
            self::saveResult("Tablica nie posiada klucza o nazwie '{$key}'",
                "Tablica nie posiada klucza o nazwie '{$key}'", $result);
            return ;
        }
        self::saveResult("Tablica nie posiada klucza o nazwie '{$key}'",
            "Tablica posiada klucz o nazwie '{$key}'", $result);
    }
    public static function assertContains($needle, $haystack,
                               $message = '')
    {
        if (!self::$testmode) return 0;
        if (in_array($needle,$haystack))
        {
            $result = 1;
            self::saveResult("Tablica posiada element o nazwie '{$needle}'",
                "Tablica posiada element o nazwie '{$needle}'", $result);
            return ;
        }
        self::saveResult("Tablica posiada element o nazwie '{$needle}'",
            " Tablica nie posiada elementu o nazwie '{$needle}'", $result);
    }
}
?>
```

W celu zapewnienia pomocy podczas tworzenia profili kod musi posiadać obsługę testów szybkości. To jest zadanie pliku *benchmark.php* (*core/main/benchmark.php*), którego kod przedstawia się następująco:

```
<?
class benchmark
{
   private $times = array();
   private $keys = array();
   public function setMarker($key=null)
   {
      $this->keys[] = $key;
      $this->times[] = microtime(true);
   }
   public function initiate()
   {
      $this->keys= array();
      $this->times= array();
   }
   public function printReport()
   {
      $cnt = count($this->times);
      $result = "";
      for ($i=1; $i<$cnt; $i++)
      {
         $key1 = $this->keys[$i-1];
         $key2 = $this->keys[$i];
         $seconds = $this->times[$i]-$this->times[$i-1];
         $result .= "Przejście od '{$key1}' do '{$key2}' : {$seconds}
            zajęło sekund.</br>";
      }
      $total = $this->times[$i-1]-$this->times[0];
      $result .= "Całkowity czas wyniósł : {$total} sekund.</br>";
      echo $result;
   }
}
?>
```

Dodanie obsługi bazy danych

Tworzona struktura musi posiadać warstwę abstrakcji danych, aby móc bezproblemowo wykonywać operacje na bazie danych. W projekcie znajdzie się więc wbudowana obsługa trzech popularnych silników bazy danych: SQLite, PostgreSQL i MySQL. Poniżej przedstawiono kod pliku *db.php* (*core/main/db.php*), który stanowi warstwę abstrakcji danych:

```
<?
include_once("dbdrivers/abstract.dbdriver.php");
class db
{
   private $dbengine;
   private $state  = "development";
   public function __construct()
   {
      $config = loader::load("config");
      $dbengineinfo = $config->db;
      if (!$dbengineinfo['usedb']==false)
      {
         $driver = $dbengineinfo[$this->state]['dbtype'].'driver';
         include_once("dbdrivers/{$driver}.php");
         $dbengine = new $driver($dbengineinfo[$this->state]);
         $this->dbengine = $dbengine;
      }
   }
   public function setDbState($state)
   {
      // Wartością musi być 'development'/'production'/'test' lub coś podobnego.
      if (empty($this->dbengine)) return 0;
      $config = loader::load("config");
      $dbengineinfo = $config->db;
      if (isset($dbengineinfo[$state]))
      {
         $this->state = $state;
      }
      else
      {
         throw new Exception("W pliku config nie znaleziono
            ['db']['{$state}']");
      }
   }
   private function __call($method, $args)
   {
      if (empty($this->dbengine)) return 0;
      if (!method_exists($this, $method))
      return call_user_func_array(array($this->dbengine, $method),$args);
   }
   /* private function __get($property)
   {
      if (property_exists($this->dbengine,$property))
      return $this->dbengine->$property;
   } */
}
?>
```

Powyższy kod używa abstrakcyjnego obiektu sterownika w celu zapewnienia możliwości rozciągliwości i spójności obiektów sterowników. W przyszłości, jeżeli jakikolwiek programista będzie chciał dodać nowy sterownik, to musi rozszerzyć klasę z pliku *core/main/dbdrivers/abstract.dbdriver.php*:

```
<?
define ("FETCH_ASSOC",1);
define ("FETCH_ROW",2);
define ("FETCH_BOTH",3);
define ("FETCH_OBJECT",3);
abstract class abstractdbdriver
{
   protected $connection;
   protected $results = array();
   protected $lasthash = "";
   public function count()
   {
      return 0;
   }
   public function execute($sql)
   {
      return false;
   }
   private function prepQuery($sql)
   {
      return $sql;
   }
   public function escape($sql)
   {
      return $sql;
   }
   public function affectedRows()
   {
      return 0;
   }
   public function insertId()
   {
      return 0;
   }
   public function transBegin()
   {
      return false;
   }
   public function transCommit()
   {
      return false;
   }
   public function transRollback()
   {
      return false;
```

```
    }
    public function getRow($fetchmode = FETCH_ASSOC)
    {
       return array();
    }
    public function getRowAt($offset=null,$fetchmode = FETCH_ASSOC)
    {
       return array();
    }
    public function rewind()
    {
       return false;
    }
    public function getRows($start, $count, $fetchmode = FETCH_ASSOC)
    {
       return array();
    }
}
?>
```

Sterowniki

Teraz należy zająć się najciekawszą częścią warstwy abstrakcji danych — sterownikami. W pierwszej kolejności warto spojrzeć na plik sterownika bazy danych SQLite, czyli *core/main/dbdrivers/ ↪sqlitedriver.php*:

```
<?
class sqlitedriver extends abstractdbdriver
{
   public function __construct($dbinfo)
   {
      if (isset($dbinfo['dbname']))
      {
         if (!$dbinfo['persistent'])
         $this->connection =
            sqlite_open($dbinfo['dbname'],0666,$errormessage);
         else
         $this->connection =
            sqlite_popen($dbinfo['dbname'],0666,$errormessage);
         if (!$this->connection)
         {
            throw new Exception($errormessage);
         }
      }
      else
      throw new Exception("Aby nawiązać połączenie z bazą danych
         trzeba podać jej nazwę.");
```

```
}
public function count()
{
   $lastresult = $this->results[$this->lasthash];
   // print_r($this->results);
   $count = sqlite_num_rows($lastresult);
   if (!$count) $count = 0;
   return $count;
}
public function execute($sql)
{
   $sql = $this->prepQuery($sql);
   $parts = split(" ",trim($sql));
   $type = strtolower($parts[0]);
   $hash = md5($sql);
   $this->lasthash = $hash;
   if ("select"==$type)
   {
      if (isset($this->results[$hash]))
      {
         if (is_resource($this->results[$hash]))
         return $this->results[$hash];
      }
   }
   else if("update"==$type || "delete"==$type)
   {
      $this->results = array(); // Usunięcie zawartości bufora wyników.
   }
   $this->results[$hash] = sqlite_query($sql,$this->connection);
}
private function prepQuery($sql)
{
   return $sql;
}
public function escape($sql)
{
   if (function_exists('sqlite_escape_string'))
   {
      return sqlite_escape_string($sql);
   }
   else
   {
      return addslashes($sql);
   }
}
public function affectedRows()
{
   return sqlite_changes($this->connection);
}
```

```
public function insertId()
{
   return @sqlite_last_insert_rowid($this->connection);
}
public function transBegin()
{
   $this->execute('BEGIN TRANSACTION');
}
public function transCommit()
{
   $this->execute('COMMIT');
}
public function transRollback()
{
   $this->execute('COMMIT');
}
public function getRow($fetchmode = FETCH_ASSOC)
{
   $lastresult = $this->results[$this->lasthash];
   if (FETCH_ASSOC == $fetchmode)
   $row = sqlite_fetch_array($lastresult,SQLITE_ASSOC);
   elseif (FETCH_ROW == $fetchmode)
   $row = sqlite_fetch_array($lastresult, SQLITE_NUM);
   elseif (FETCH_OBJECT == $fetchmode)
   $row = sqlite_fetch_object($lastresult);
   else
   $row = sqlite_fetch_array($lastresult,SQLITE_BOTH);
   return $row;
}
public function getRowAt($offset=null,$fetchmode = FETCH_ASSOC)
{
   $lastresult = $this->results[$this->lasthash];
   if (!empty($offset))
   {
      sqlite_seek($lastresult, $offset);
   }
   return $this->getRow($fetchmode);
}
public function rewind()
{
   $lastresult = $this->results[$this->lasthash];
   sqlite_rewind($lastresult);
}
public function getRows($start, $count, $fetchmode = FETCH_ASSOC)
{
   $lastresult = $this->results[$this->lasthash];
   sqlite_seek($lastresult, $start);
   $rows = array();
   for ($i=$start; $i<=($start+$count); $i++)
```

```
            {
                $rows[] = $this->getRow($fetchmode);
            }
            return $rows;
        }
    }
    ?>
```

Po dokładnej analizie kodu czytelnik stwierdzi, że zostały w nim zaimplementowane wszystkie funkcje opisane w obiekcie `abstractdbdriver` z pliku *abstractdbdriver.php*.

Kolejny kod przedstawia zawartość pliku *mysqldriver.php* (*core/main/dbdrivers/mysqldriver.php*), który jest plikiem sterownika bazy danych MySQL:

```
<?
class mysqldriver extends abstractdbdriver
{
    public function __construct($dbinfo)
    {
        if (!empty($dbinfo['dbname']))
        {
            if ($dbinfo['persistent'])
            $this->connection =
                mysql_pconnect($dbinfo['dbhost'],$dbinfo['dbuser'],
                $dbinfo['dbpwd']);
            else
            $this->connection =
                mysql_connect($dbinfo['dbhost'],$dbinfo['dbuser'],
                $dbinfo['dbpwd']);
            mysql_select_db($dbinfo['dbname'],$this->connection);
        }
        else
        throw new Exception("Aby nawiązać połączenie z bazą danych MySQL,
            trzeba podać nazwę użytkownika, hasło, serwer oraz nazwę używanej
            bazy danych.");
    }
    public function execute($sql)
    {
        $sql = $this->prepQuery($sql);
        $parts = split(" ",trim($sql));
        $type = strtolower($parts[0]);
        $hash = md5($sql);
        $this->lasthash = $hash;
        if ("select"==$type)
        {
            if (isset($this->results[$hash]))
            {
                if (is_resource($this->results[$hash]))
                return $this->results[$hash];
```

```
        }
    }
    else if("update"==$type || "delete"==$type)
    {
        $this->results = array(); // Usunięcie zawartości bufora wyników.
    }
    $this->results[$hash] = mysql_query($sql,$this->connection);
}
public function count()
{
    // print_r($this);
    $lastresult = $this->results[$this->lasthash];
    // print_r($this->results);
    $count = mysql_num_rows($lastresult);
    if (!$count) $count = 0;
    return $count;
}
private  function prepQuery($sql)
{
    // Polecenie "DELETE FROM TABLE" zwraca 0 rekordów.
    // Ten kod modyfikuje wymienione zapytanie w taki sposób,
    // aby zwracało ono liczbę rekordów, które zostały zmodyfikowane przez zapytanie.
    if (preg_match('/^\s*DELETE\s+FROM\s+(\S+)\s*$/i', $sql))
    {
        $sql = preg_replace("/^\s*DELETE\s+FROM\s+(\S+)\s*$/",
            "DELETE FROM \\1 WHERE 1=1", $sql);
    }
    return $sql;
}
public function escape($sql)
{
    if (function_exists('mysql_real_escape_string'))
    {
        return mysql_real_escape_string($sql, $this->conn_id);
    }
    elseif (function_exists('mysql_escape_string'))
    {
        return mysql_escape_string( $sql);
    }
    else
    {
        return addslashes($sql);
    }
}
public function affectedRows()
{
    return @mysql_affected_rows($this->connection);
}
public function insertId()
```

```
{
   return @mysql_insert_id($this->connection);
}
public function transBegin()
{
   $this->execute('SET AUTOCOMMIT=0');
   $this->execute('START TRANSACTION'); // W tym miejscu można użyć również
                                        // BEGIN lub BEGIN WORK.
   return TRUE;
}
public function transCommit()
{
   $this->execute('COMMIT');
   $this->execute('SET AUTOCOMMIT=1');
   return TRUE;
}
public function transRollback()
{
   $this->execute('ROLLBACK');
   $this->execute('SET AUTOCOMMIT=1');
   return TRUE;
}
public function getRow($fetchmode = FETCH_ASSOC)
{
   $lastresult = $this->results[$this->lasthash];
   if (FETCH_ASSOC == $fetchmode)
   $row = mysql_fetch_assoc($lastresult);
   elseif (FETCH_ROW == $fetchmode)
   $row = mysql_fetch_row($lastresult);
   elseif (FETCH_OBJECT == $fetchmode)
   $row = mysql_fetch_object($lastresult);
   else
   $row = mysql_fetch_array($lastresult,MYSQL_BOTH);
   return $row;
}
public function getRowAt($offset=null,$fetchmode = FETCH_ASSOC)
{
   $lastresult = $this->results[$this->lasthash];
   if (!empty($offset))
   {
      mysql_data_seek($lastresult, $offset);
   }
   return $this->getRow($fetchmode);
}
public function rewind()
{
   $lastresult = $this->results[$this->lasthash];
   mysql_data_seek($lastresult, 0);
}
```

```
    public function getRows($start, $count, $fetchmode = FETCH_ASSOC)
    {
       $lastresult = $this->results[$this->lasthash];
       mysql_data_seek($lastresult, $start);
       $rows = array();
       for ($i=$start; $i<=($start+$count); $i++)
       {
          $rows[] = $this->getRow($fetchmode);
       }
       return $rows;
    }
    function __destruct()
    {
       foreach ($this->results as $result)
       {
          @mysql_free_result($result);
       }
    }
}
?>
```

Ostatni sterownik obsługuje bazę danych PostgreSQL. Został umieszczony w pliku *postgresql.*
↪*php* (*core/main/dbdrivers/postgresql.php*) i zawiera następujący kod:

```
<?
class pgsqldriver extends abstractdbdriver
{
   public function __construct($dbinfo)
   {
      if (!empty($dbinfo['dbname']))
      {
         if ($dbinfo['persistent'])
         $this->connection = pg_pconnect("host={$dbinfo['dbname']}
         port=5432 dbname={$dbinfo['dbname']} user={$dbinfo['$dbuser']}
         password={$dbinfo['dbpwd']}");
         else
         $this->connection = pg_connect("host={$dbinfo['dbname']}
         port=5432 dbname={$dbinfo['dbname']} user={$dbinfo['$dbuser']}
         password={$dbinfo['dbpwd']}");
      }
      else
         throw new Exception("Aby nawiązać połączenie z bazą danych PostgreSQL,
            trzeba podać nazwę użytkownika, hasło, serwer oraz nazwę używanej
            bazy danych ");
   }
   public function execute($sql)
   {
      $sql = $this->prepQuery($sql);
      $parts = split(" ",trim($sql));
      $type = strtolower($parts[0]);
```

```
      $hash = md5($sql);
      $this->lasthash = $hash;
      if ("select"==$type)
      {
         if (isset($this->results[$hash]))
         {
            if (is_resource($this->results[$hash]))
            return $this->results[$hash];
         }
      }
      else if("update"==$type || "delete"==$type)
      {
         $this->results = array(); // Usunięcie zawartości bufora wyników.
      }
      $this->results[$hash] = pg_query($this->connection,$sql);
   }
   public function count()
   {
      // print_r($this);
      $lastresult = $this->results[$this->lasthash];
      // print_r($this->results);
      $count = pg_num_rows($lastresult);
      if (!$count) $count = 0;
      return $count;
   }
   private function prepQuery($sql)
   {
      // Polecenie "DELETE FROM TABLE" zwraca 0 rekordów.
      // Ten kod modyfikuje wymienione zapytanie w taki sposób,
      // aby zwracało ono liczbę rekordów, które zostały zmodyfikowane przez zapytanie.
      if (preg_match('/^\s*DELETE\s+FROM\s+(\S+)\s*$/i', $sql))
      {
         $sql = preg_replace("/^\s*DELETE\s+FROM\s+(\S+)\s*$/",
            "DELETE FROM \\1 WHERE 1=1", $sql);
      }
      return $sql;
   }
   public function escape($sql)
   {
      if (function_exists('pg_escape_string'))
      {
         return pg_escape_string( $sql);
      }
      else
      {
         return addslashes($sql);
      }
   }
   public function affectedRows()
```

```
{
   return @pg_affected_rows($this->connection);
}
public function insertId($table=null, $column=null)
{
   $_temp = $this->lasthash;
   $lastresult = $this->results[$this->lasthash];
   $this->execute("SELECT version() AS ver");
   $row = $this->getRow();
   $v = $row['server'];
   $table = func_num_args() > 0 ? func_get_arg(0) : null;
   $column = func_num_args() > 1 ? func_get_arg(1) : null;
   if ($table == null && $v >= '8.1')
   {
      $sql='SELECT LASTVAL() as ins_id';
   }
   elseif ($table != null && $column != null && $v >= '8.0')
   {
      $sql = sprintf("SELECT pg_get_serial_sequence('%s','%s') as
         seq", $table, $column);
      $this->execte($sql);
      $row = $this->getRow();
      $sql = sprintf("SELECT CURRVAL('%s') as ins_id", $row['seq']);
   }
   elseif ($table != null)
   {
      // Przekazanie seq_name parametrze tabeli.
      $sql = sprintf("SELECT CURRVAL('%s') as ins_id", $table);
   }
   else
   {
      return pg_last_oid($lastresult);
   }
   $this->execute($sql);
   $row = $this->getRow();
   $this->lasthash = $_temp;
   return $row['ins_id'];
}
public function transBegin()
{
   return @pg_exec($this->connection, "BEGIN");
   return TRUE;
}
public function transCommit()
{
   return @pg_exec($this->connection, "COMMIT");
   return TRUE;
}
public function transRollback()
```

```
    {
       return @pg_exec($this->connection, "ROLLBACK");
       return TRUE;
    }
    public function getRow($fetchmode = FETCH_ASSOC)
    {
       $lastresult = $this->results[$this->lasthash];
       if (FETCH_ASSOC == $fetchmode)
       $row = pg_fetch_assoc($lastresult);
       elseif (FETCH_ROW == $fetchmode)
       $row = pg_fetch_row($lastresult);
       elseif (FETCH_OBJECT == $fetchmode)
       $row = pg_fetch_object($lastresult);
       else
       $row = pg_fetch_array($lastresult,PGSQL_BOTH);
       return $row;
    }
    public function getRowAt($offset=null,$fetchmode = FETCH_ASSOC)
    {
       $lastresult = $this->results[$this->lasthash];
       if (!empty($offset))
       {
          pg_result_seek($lastresult, $offset);
       }
       return $this->getRow($fetchmode);
    }
    public function rewind()
    {
       $lastresult = $this->results[$this->lasthash];
       pg_result_seek($lastresult, 0);
    }
    public function getRows($start, $count, $fetchmode = FETCH_ASSOC)
    {
       $lastresult = $this->results[$this->lasthash];
       $rows = array();
       for ($i=$start; $i<=($start+$count); $i++)
       {
          $rows[] = $this->getRowAt($i,$fetchmode);
       }
       return $rows;
    }
    function __destruct()
    {
       foreach ($this->results as $result)
       {
          @pg_free_result($result);
       }
    }
}
?>
```

Na tym etapie budowa struktury została zakończona. W kolejnych podrozdziałach zostanie omówiony sposób tworzenia aplikacji na podstawie przedstawionej struktury.

Tworzenie aplikacji na podstawie gotowej struktury

Nadszedł najciekawszy etap prac nad projektem. Do chwili obecnej zostało wykonanych wiele zadań, których celem jest ułatwienie tworzenia aplikacji za pomocą zbudowanej struktury. W podrozdziale zostanie omówione budowanie prostej aplikacji blogu oraz zalety korzystania z utworzonej wcześniej struktury.

Warto w tym miejscu wspomnieć, że blog to proste systemy publikacji w Internecie, pozwalające użytkownikom na pisanie i publikację własnych tekstów. Tworzona w rozdziale aplikacja umożliwi pisanie artykułów i ich wyświetlanie na stronie, a czytelnicy blogu będą mogli je komentować.

Pierwszym krokiem jest utworzenie bazy danych MySQL o nazwie `packtblog` wraz z trzema tabelami: `Users`, `Posts` i `Comments`. Schemat bazy danych przedstawiono poniżej:

Tabela: Posts

```
+---------+--------------+------+-----+---------+----------------+
| Field   | Type         | Null | Key | Default | Extra          |
+---------+--------------+------+-----+---------+----------------+
| id      | int(11)      | NO   | PRI | NULL    | auto_increment |
| title   | varchar(250) | YES  |     | NULL    |                |
| content | text         | YES  |     | NULL    |                |
| user_id | int(11)      | YES  |     | NULL    |                |
| date    | int(11)      | YES  |     | NULL    |                |
+---------+--------------+------+-----+---------+----------------+
```

Tabela: Comments

```
+---------+--------------+------+-----+---------+----------------+
| Field   | Type         | Null | Key | Default | Extra          |
+---------+--------------+------+-----+---------+----------------+
| id      | int(11)      | NO   | PRI | NULL    | auto_increment |
| post_id | int(11)      | YES  |     | NULL    |                |
| content | text         | YES  |     | NULL    |                |
| date    | int(11)      | YES  |     | NULL    |                |
| author  | varchar(250) | YES  |     | NULL    |                |
+---------+--------------+------+-----+---------+----------------+
```

Tabela: Users

```
+----------+--------------+------+-----+---------+----------------+
| Field    | Type         | Null | Key | Default | Extra          |
+----------+--------------+------+-----+---------+----------------+
| id       | int(11)      | NO   | PRI | NULL    | auto_increment |
| name     | varchar(100) | YES  |     | NULL    |                |
| fullname | varchar(250) | YES  |     | NULL    |                |
| email    | varchar(250) | YES  |     | NULL    |                |
| password | varchar(32)  | YES  |     | NULL    |                |
+----------+--------------+------+-----+---------+----------------+
```

Kontroler uwierzytelniania

Pracę rozpoczniemy od utworzenia głównego kontrolera, którego zadaniem będzie umożliwienie użytkownikom rejestracji bądź logowania do systemu. Kod pliku *app/controllers/auth.php* jest następujący:

```
<?
session_start();
class auth extends controller
{
   public $use_layout = false;
   function base()
   {
   }
   public function login()
   {
      // $this->redirect("auth");
      $this->view->set("message","");
      if(!empty($_SESSION['userid']))
      {
         $this->redirect("blog","display");
      }
      else if (!empty($_POST))
      {
         $user = $this->model->user;
         $userdata = $user->find(array("name"=>$user->name,
            "password"=>md5($user->password)));
         if (!$userdata)
         {
            // Nie znaleziono.
            $this->view->set("message","Błędna nazwa użytkownika lub hasło.");
         }
         else
         {
            $_SESSION['userid']=$userdata['id'];
```

```
            $this->redirect("blog","display");
         }
      }
   }
   public function register()
   {
      if(!empty($_POST))
      {
         $user = $this->model->user;
         if (!$user->find(array("name"=>$user->name)))
         {
            $user->password = md5($user->password);
            $user->insert();
         }
      }
   }
}
?>
```

Widoki dla kontrolera uwierzytelniania przedstawiają się następująco:

Plik: app/views/auth/base.php

```
<h1>
   Proszę się <a href='<?=$base_url?>/auth/login'>zalogować</a> lub
      <a href='<?=$base_url?>/auth/register'>zarejestrować</a>
</h1>
```

Powyższy fragment kodu powoduje wyświetlenie danych pokazanych na rysunku 9.2.

Proszę się zalogować lub zarejestrować

Rysunek 9.2. Logowanie lub rejestracja użytkownika

Plik: app/views/auth/login.php

```
<h1>Proszę się zalogować</h1>
<font color="red"><?=$message;?></font><br/>
<form method="POST">
   Nazwa użytkownika:<br/>
   <input type="text" name="name"/><br/>
   Hasło: <br/>
   <input type="password" name="password" /><br/>
   <input type="submit" name="Submit" value="Zaloguj się" />
</form>
```

Powyższy fragment kodu powoduje wyświetlenie danych pokazanych na rysunku 9.3.

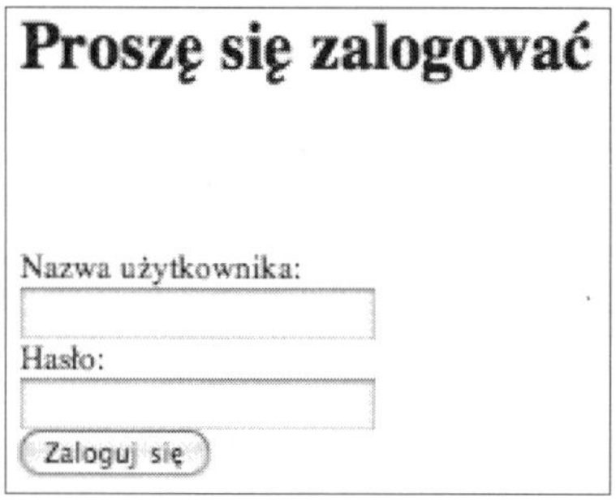

Proszę się zalogować

Nazwa użytkownika:

Hasło:

Zaloguj się

Rysunek 9.3. Logowanie użytkownika do aplikacji

Plik: app/views/auth/register.php

```
<h1>Proszę utworzyć konto</h1><br/>
<form method="POST">
   Nazwa użytkownika: <br/>
   <input type="text" name="name" /><br/>
   Hasło: <br/>
   <input type="password" name="password" /><br/>
   Pełne imię i nazwisko: <br/>
   <input type="text" name="fullname" /><br/>
   Adres e-mail: <br/>
   <input type="text" name="email" /><br/>
   <input type="submit"  name="submit" value="Utwórz konto"/>
</form>
```

Powyższy fragment kodu powoduje wyświetlenie danych pokazanych na rysunku 9.4.

Proszę utworzyć konto

Nazwa użytkownika:

Hasło:

Pełne imię i nazwisko:

Adres e-mail:

Utwórz konto

Rysunek 9.4. Formularz rejestracji nowego użytkownika

Następnie należy utworzyć kontroler, który będzie obsługiwał operacje wykonywane na blogu.

Kod pliku *app/controllers/blog.php* jest następujący:

```
<?
session_start();
class blog extends controller
{
   public function display()
   {
      $user = $_SESSION['userid'];
      $posts = $this->model->post->find(array("user_id"=>$user),10);
      if(!$posts)
      {
         $this->redirect("blog","write");
      }
      else
      {
         foreach ($posts as &$post)
         {
            $post['comments']=$this->model->comment->find
               (array("post_id"=>$post['id']));
         }
         $this->view->set("posts",$posts);
      }
   }
   public function post()
   {
      $postid= $this->params['0'];
      if (count($_POST)>1)
      {
         $comment = $this->model->comment;
         $comment->date = time();
         $comment->post_id = $postid;
         $comment->insert();
      }
      $post = $this->model->post->find(array("id"=>$postid));
      if (!empty($postid))
      {
         $post[0]['comments'] = $this->model->comment->find
            (array("post_id"=>$postid),100);
      }
      $this->view->set("message","");
      $this->view->set("post",$post[0]);
      // die($postid);
   }
   public function write()
   {
      $this->view->set("color","green");
      if (!empty($_POST))
      {
         $post = $this->model->post;
         $post->user_id=$_SESSION['userid'];
```

```
                $post->date = time();
                $post->insert();
                $this->view->set("color","green");
                $this->view->set("message","Artykuł został umieszczony na blogu.");
            }
        }
    }
    ?>
```

Widoki dla kontrolera obsługującego blog przedstawiają się następująco:

Plik: app/views/blog/display.php

```
<?
foreach ($posts as $post)
{
   echo "<div id='post{$post['id']}' >";
   echo "<b><a href='{$base_url}/blog/post/{$post['id']}'>
      {$post['title']}</a></b><br/>";
   echo "<p>".nl2br($post['content'])."</p>";
   echo "Liczba komentarzy: ".(count($post['comments']));
   echo "</div>";
}
?>
```

Plik: app/views/blog/post.php

```
<?
   echo "<div id='post{$post['id']}' >";
   echo "<b><a href='{$base_url}/blog/post/{$post['id']}'>
      {$post['title']}</a></b><br/>";
   echo "<p>".nl2br($post['content'])."</p>";
   echo "Liczba komentarzy: ".(count($post['comments']));
   echo "</div>";
   foreach ($post['comments'] as $comment)
   {
      echo "<div style='padding:10px;margin-top:10px;
      border:1px solid #cfcfcf;'>";
      $time = date("Y-m-d",$comment['date']);
      echo "Umieszczony przez {$comment['author']} at {$time}:<br/>";
      echo "{$comment['content']}";
      echo "</div>";
   }
?>
<h2>Umieść nowy komentarz</h2>
<font color="red"><?=$message;?></font><br/>
<form method="POST">
   Nazwa użytkownika:<br/>
   <input type="text" name="author"/><br/>
```

```
    Komentarz: <br/>
    <textarea rows="5" cols="60" name="content" ></textarea><br/>
    <input type="submit" value="Umieść" />
</form>
```

Plik: app/views/blog/write.php

```
<h1>Nowy artykuł do opublikowania na blogu</h1>
<font color="<?=$color;?>"><?=$message;?></font><br/>
<form method="POST">
    Tytuł:<br/>
    <input type="text" name="title"/><br/>
    Treść artykułu: <br/>
    <textarea rows="5" cols="60" name="content" ></textarea><br/>
    <input type="submit" value="Opublikuj"  />
</form>
```

Powyższy fragment kodu powoduje wyświetlenie danych pokazanych na rysunku 9.5.

Nowy artykuł do opublikowania na blogu

Tytuł:

Treść artykułu:

Opublikuj

Rysunek 9.5. Formularz pozwalający na opublikowanie nowego artykułu na blogu

Wreszcie, wymieniony na końcu, ale nie mniej ważny plik to *configs.php*, który należy umieścić w katalogu *app/config/configs.php* lub *core/config/configs.php*:

```
<?
$configs['use_layout']=false;
$configs['unit_test_enabled']=true;
$configs['default_controller']="welcome";
$configs['global_profile']=true;
/* DB */
$configs['db']['usedb']="mysql";
$configs['db']['development']['dbname']="packtblog";
$configs['db']['development']['dbhost']="localhost";
$configs['db']['development']['dbuser']="root";
$configs['db']['development']['dbpwd']="root1234";
$configs['db']['development']['persistent']=true;
$configs['db']['development']['dbtype']="mysql";
?>
```

Podsumowanie

W trakcie szybkiego opracowywania aplikacji PHP struktury odgrywają bardzo ważną rolę. Dlatego też w chwili obecnej na rynku dostępnych jest już wiele struktur, które można wykorzystywać w sposób przemysłowy. Programista ma więc spory wybór. W rozdziale omówiono budowę własnej struktury, co powinno pomóc w zrozumieniu zagadnień związanych z wczytywaniem obiektów, warstwami abstrakcji danych oraz wagą oddzielenia logiki biznesowej od warstwy prezentacyjnej. Ponadto zaprezentowano przykład tworzenia aplikacji na bazie zbudowanej wcześniej struktury.

Skorowidz

A

B

C

D

E

F

G

H

I

J

K

L

Ł

M

N

O

P

Q

R

S

Ś

T

U

V

W

X

Y

Z

Ż